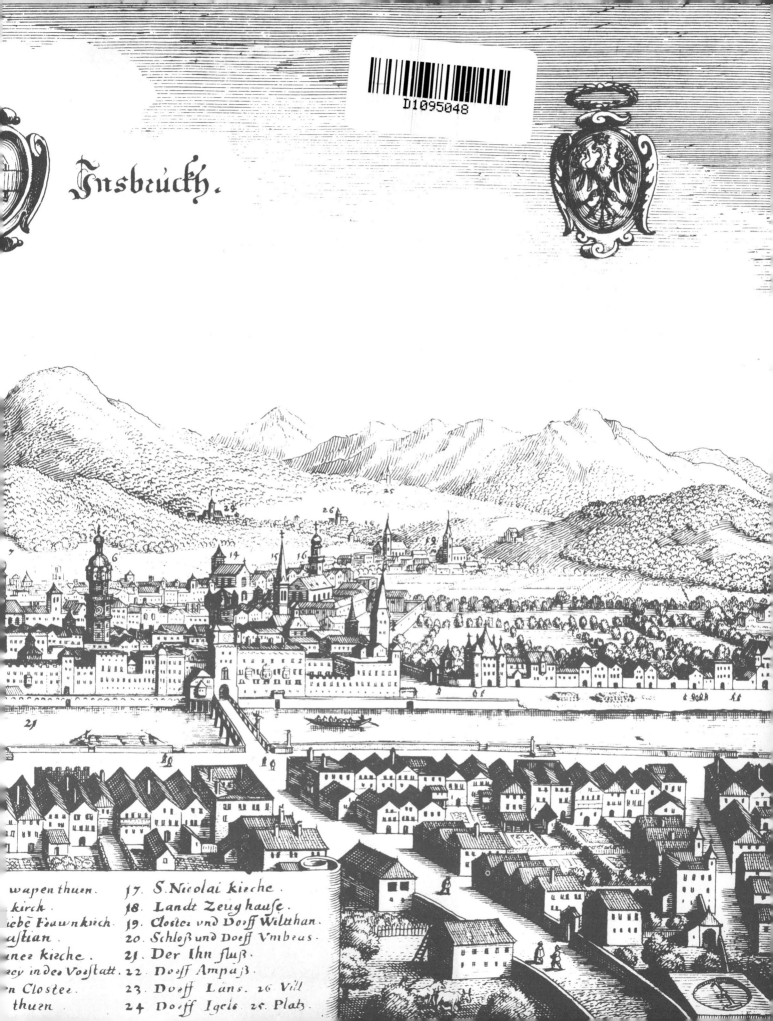

Insbruckh.

wapen thuen.
kirch.
icbẽ Frawn kirch.
aftian
nez kirche.
cy in der Vorstatt.
n Closter.
thuen

17. S. Nicolai kirche.
18. Landt Zeug hause.
19. Closter vnd Dorff Wilthan.
20. Schloß vnd Dorff Vmbeas.
21. Der Ihn fluß.
22. Dorff Ampaß.
23. Dorff Lans. 26 Vill
24. Dorff Igels. 25. Platz.

TIROL IN FARBEN

in colore   in colour   en couleurs

1979   ISBN 3–7022–1345–7

Umschlag vorne: Fiß
hinten: Kalkkögel bei Innsbruck
Vorsatz vorne: Innsbruck um die Mitte des 17. Jh.s
Nach einem Stich in Merians ,,Topographie" 1649
hinten: Kufstein, gez. v. Richter, auf Stein gez. v. L. Rottmann
Österreichisches Alpenvereinsmuseum, Innsbruck

Die Übersetzungen besorgten:
Englisch – Christiane Kuehnelt-Leddihn, Lans
Französisch – Alfred Geets, Innsbruck
Italienisch – DDr. Rolf Kinigadner, Innsbruck
Alle Rechte bei der Verlagsanstalt Tyrolia Gesellschaft m. b. H., Innsbruck,
Exlgasse 20
Satz, Reproduktionen, Druck und Buchbinderarbeiten
in der Verlagsanstalt Tyrolia Gesellschaft m. b. H., Innsbruck

ROBERT LÖBL

TIROL IN FARBEN

in colore – in colour – en couleurs

*Mit viersprachiger Einführung
und mit viersprachigen Bilderläuterungen*

TYROLIA-VERLAG
INNSBRUCK-WIEN-MÜNCHEN

Innsbruck, Annasäule. Inmitten der Maria-Theresien-Straße, umgeben von der gewaltigen Kulisse der Nordkette, steht die Annasäule (1706) als Wahrzeichen und zum Gedenken an den Abzug der bayerischen Truppen (1703).

Innsbruck, St Anne's Column. In the centre of Maria-Theresien-Strasse, against the impressive backdrop of the Nordkette mountains, this column was erected (1706) to commemorate the withdrawal of the Bavarian troops on the feast of St Anne (1703).

Innsbruck, Colonne Sainte-Anne. Erigée en 1706 pour commémorer le départ des troupes bavaroises (1703), la Colonne Sainte-Anne se trouve au milieu de la rue Marie-Thérèse, avec la gigantesque toile de fond de la Chaîne Nord (la « Nordkette ») à l'arrière-plan.

Innsbruck, colonna a Sant'Anna. In mezzo alla Maria-Theresien-Strasse col retroscena imponente della Nordkette, la colonna a Sant'Anna fu eretta (nel 1706) come simbolo ed in memoria della ritirata delle truppe bavaresi (1703).

Innsbruck, Hofgarten. Unweit der Maria-Theresianischen Hofburg liegt das kleine Erholungsparadies des Hofgartens. Wie biedermeierliche Blumenbuketts wirken die festlich, von Meisterhand gestalteten Blütenarrangements.

Innsbruck, Hofgarten. Not far from Maria Theresia's Palace are the idyllic Palace Gardens. The tastefully arranged flower beds resemble giant nosegays.

Innsbruck, « Hofgarten ». Havre de détente et de repos, l'ancien Jardin impérial se trouve près de la rue Marie-Thérèse et de la « Hofburg », le Palais impérial. Arrangés par une main de maître, les parterres de fleurs ressemblent à de véritables bouquets de l'époque du « Biedermeier ».

Innsbruck, Hofgarten. Nelle vicinanze del palazzo imperiale di Maria Theresia si trova il parco di corte, piccolo paradiso di ricreazione. Come mazzi di fiori dell'epoca Biedermeier si presentano le disposizioni delle piante fiorite create da mano maestra.

Innsbruck, Herzog-Friedrich-Straße. Die Fußgängerzone in der Altstadt lädt zum Bummel durch die erkergegliederten Häuserfluchten und durch idyllische Laubengänge ein. Das Goldene Dachl (um 1500) zählt zu den beliebtesten Fotomotiven.

Innsbruck, Herzog-Friedrich-Strasse. The pedestrian zone in the Old Town invites you to stroll under the arcades and along the narrow streets with their ancient bay-windowed houses. The Gilded Roof (ca 1500) is a favorite subject of photographers.

Innsbruck, « Herzog - Friedrich - Strasse », la rue de Duc Frédéric, une zone réservée aux piétons dans la vieille ville, incite à la flânerie entre de hautes maisons aux balcons en encorbellement et sous les idylliques arcades. Le « Goldene Dachl » le Petit Toit d'Or (vers 1500), offre de fort belles perspectives aux photographes.

Innsbruck, Herzog-Friedrich-Strasse. La zona dei pedoni nella città vecchia invita ad andare a zonzo attraverso le alte case allineate suddivise da sporti ed attraverso le idilliche arcate. Il tetto d'oro (« Goldenes Dachl », intorno al 1500) è uno dei soggetti fotografici più preferiti.

Innsbruck, Hofkirche. Diese vier „Schwarzen Mander" aus Bronze flankieren zusammen mit 22 anderen lebensgroßen Bronzestatuen den Kenotaph Kaiser Maximilians I., des letzten Ritters und ersten gesamteuropäisch denkenden Habsburgers.

Innsbruck, Court Chapel. The "Black Men" and other bronze figures surround the cenotaph of Emperor Maximilian I, "the Last Knight" and the first among the Habsburgs with an all-European outlook.

Innsbruck, « Hofkirche », Eglise de la Cour. Ces quatre statues en bronze font partie des 22 statues en grandeur nature entourant le cénotaphe de Maximilien Ier, le dernier chevalier et le premier des Habsbourg ayant une conception de globalité européenne.

Innsbruck, Hofkirche. Questi quattro « uomini neri » di bronzo fiancheggiano insieme a 22 altre statue di bronzo di grandezza naturale il sepolcro dell'imperatore Massimiliano I°, ultimo cavaliere e primo Asburghese di mentalità paneuropea.

Inhaltsverzeichnis

Innsbruck, ich muß dich lassen

Innsbruck, ich muß dich lassen,
ich far dahin mein strassen
in fremde land dahin;
mein frewd ist mir genommen
die ich nit weiß bekommen,
wo ich im elend bin.

Groß leid muß ich yetz tragen,
das ich allein thu klagen
dem liebsten bulen mein.
Ach lieb, nun laß mich armen
im hertzen dein erbarmen,
das ich muß von dannen sein.

Mein trost ob allen weyben,
dein thu ich ewig bleiben
stet, trew, der eren frumm.
Nun muß dich Gott bewaren,
in aller tugendt sparen,
biß das ich wider kumm.

um 1500

Farbiges Bergland

Jeder Flachländer, der für einige Zeit ins Gebirge hereinkommt, spürt als erstes: hier ist die Luft anders. Sie ist dünner, leichter, härter als draußen. Sie gibt den Farben Frische, Schärfe und genaue Begrenztheit; der mildernde, mischende Dunst fehlt, der im ebeneren Land den Horizont verschleiert. Klar, fast gewaltsam schneiden die Bergflanken in den nackten Himmel, der Horizont ist nah und hoch, von den Formen des Gebirges vielfach überschnitten, gewikkelt, gestuft, immer aber etwas ganz anderes als jener des Hügellandes, keine verblauende Ferne, vielmehr eine dunkle, stofflich schwere Nähe.

Zu Wald, Getreidefeld und Wiese kommt der Berg und damit die Farbe des Gesteins, des Firnfelds und des Eises. Dazu das Nebeneinander der Jahreszeiten: Winter bis zur Baumgrenze herab, Frühling im Bergwald, Frühsommer im Tal. Um Pfingsten können die Wiesen hoch und in farbigster Pracht stehen, während droben die Lärchen erst ihr zartes Grün bekommen und bis zu den Almen herab der Neuschnee blendet. Das gibt ein Bild von einer Eindringlichkeit und fast grausamen Leuchtkraft, daß man es nie mehr vergißt. Vielleicht ist es gar kein Bild für Maler, wie vieles, was uns durch seine starken Gegensätze entzückt. Was sollte ein Künstler mit dem reinen, unverschleierten Grün anfangen, das im April die nahen Talhänge füllt — und doch ist es unseren Augen ein wahres Labsal nach dem monatelangen Weiß.

Der Berg nun aber ist der eigentliche Farbträger unserer Landschaft. Ist er aus Kalk und daher weit herab kahl, dann kann er je nach Witterung, Jahres- und Tageszeit vom zartesten Blaugrau, das ihm das Gewicht nimmt, über alle Stufen von Gelb bis ins abendliche Gold und Rosenrot spielen, er kann bei föhnigem Licht metallisch leuchten und unter dem senkrechten Anprall der Sommersonne weiß wie gebleichtes Knochenwerk sein. Ist er aus Schiefer, dann duldet er das Grün von Berggras, Moos und Flechte fast bis zum Gipfel, die Ferne macht ihn blau, der Herbst rostbraun bis kupferrot und am Abend tief purpurn. Der Dreitausender der Zentralalpen aber erscheint dem sich Nähernden zumeist schwarz — zum Fürchten schwarz in der grellen Helle des Mittags. In den Zillertalern und Hohen Tauern stehen Berge, deren Gestein in starker Eigenfarbe leuchtet, so der hellgrüne Serpentin, der schwärzlichgrüne Hornblendeschiefer, dazwischen rötliche und ockergelbe Massen, vom blauen Licht des Himmels einander nähergebracht und zu leichteren Gebilden verwandelt, als es Berge ihrer Natur nach sind. Dann stehen sie, von erhöhtem Ort aus gesehen, wie ein Zug farbigen Gewölkes vor einem, nur fester als Gewölk, aber doch strömend bewegt unter dem Wechsel von Schatten und Licht. Die Zentralalpen haben vor den Kalkketten den Wasserreichtum voraus, und da gibt es auch farbig nichts Größeres als das schneeweiße Geäder am dunklen Bergleib, das rieselnde, schleiernde, schäumende Weiß und darunter den fast schwarzen Fels oder das helle, kühle Grün der Bergwiesen. Im Bergsee aber oder in den breiten Flüssen der Haupttäler fließt das Braun und Rot, das satte Blau und der helle Ocker der Felswand mit allen Grüntönen des Wassers zusammen, darin sie sich spiegelt.

Die farbig gleichgültigste Zeit unserer Landschaft ist der Sommer. Die Luft ist feucht, und ein trübes Blau liegt über den Schatten, der Fichtenwald, der große Teile des Berglandes überzieht, zeigt ein sprödes, stumpfes Grün, und nur die Morgen- und Abendstunden locken mit dem schrägen Einfall des Lichtes Übergänge und Verwandlungen hervor, die farbig leben. Da ist über dem Flachland der Himmel und sein Wolkenspiel, unerschöpflich an Brechungen, Verschattungen, Steigerungen des Lichtes; unser Himmel ist klein, und erst die Schneemassen des Bergwinters geben uns das an Farbe, was dem Bewohner des flacheren Landes von den Wolkengebirgen des Hochsommers kommt.

So ist der Winter bei uns trotz der gleichmäßigen Verschneitheit des Landes — oder gerade ihretwegen — die eigentlich farbigste Zeit des Jahres. Die Reinheit der Töne ist am größten, ihr Ineinanderfließen am ungehindertsten, die Wirkung des Widerscheins am stärksten. Den sommerlichen Gegensatz zwischen farbig toter Nähe und lebendiger Ferne hat der Schnee überwunden, sein Licht durchdringt sie beide mit der gleichen farbschaffenden Kraft, die allernächste Nähe schon blüht in allen Bläuen, die Schatten fallen rein und der Röte wegen, die ihnen zumeist beigemischt ist, nicht einmal so kalt, wie vom Blau zu erwarten wäre, in das rosige und goldgelbe Weiß des Schnees. Die Fichtenwälder, blauend unter der weichen Hülle, klingen nun ohne Härte mit den verschneiten Wiesen zusammen, die Flüsse hellen ihr Grün auf und liegen wie Flächen aus Beryll oder Aquamarin in der fehlerlosen Weiße. Diese Festzeit der Farbigkeit dauert bis in die klaren, trockenen Märztage hinein, in denen sich das fahle Braun geaperter Hänge wärmend ins Winterliche mischt und der Himmel über den Bergkämmen auch untertags von einem heimlichen Rot durchfeuert erscheint. Sie erhält einen andern, fröhlicheren Glanz vom ersten Grün der Buchen, das in hellstem Geflacker zwischen den dunklen Fichten schwebt. Jene Bäume haben dem Mischwald im Herbst ein derbes Braun gegeben, das, zu Boden gefallen, verwitternd in rote, violette Töne überging; auf Bergwiesen aber wurden in schütteren Beständen die Lärchen zu gläserigen, lichtdurchtränkten Gebilden, gaben dem fernen Wald einen warmen Goldton und treiben nun ein Grün hervor, ein feines, kühles, wehendes Grün, das mancher Landschaft eine strenge, vornehme Zartheit verleiht, zu der sich der hellgraue Kalk des Wettersteins am glücklichsten fügt. Überhaupt ist die Lärche sowohl als einzelner Baum wie durch die Art, lockere, lichtoffene Bestände zu bilden, farbig um vieles ergiebiger als die Fichte. Sie tut es darin den Laubbäumen gleich, die den Herbst des Wienerwaldes oder jenen der Grazer Hügel zu einem wahren Augenfest machen.

Das mittlere Inntal hat um diese Zeit Föhn, und alles, was an föhnlosen Tagen entweder die Früh- und Spätsonne oder das die Grelle abschirmende Grau des überzogenen Himmels an Farbe hervorbringen, glüht nun wie unter dem Anschwellen eines Feuers, das in den Dingen selbst glost. Die nordische Bergstadt, im Sommer von Grün und Hellgrau beherrscht, ist an solchen Tagen nicht wieder zu erkennen. Ihre farbig spröde, oft düster strenge Landschaft wird in der verdünnten, brennend trockenen Atmosphäre märchenhaft wie die Bilder südlicher Inseln; kein Blau kann nun satter sein als das Indigo ihrer fernen Berge, kein Grün feuriger und dabei abgestimmter als das ihrer Wiesen, kein Braun so warm wie das der nahen vergilbten Berghänge. Kein reines kaltes Weiß, kein totes Schwarz stört den vielstimmigen Klang, ein allgegenwärtiges

Rot durchatmet sie, und selbst in der völligen Schwärze der Nacht scheint noch etwas glühend Rotes zu leben.

Ein Wort noch über die wundervolle Fügsamkeit, mit der sich unser Bauernhaus in die Landschaft farbig einordnet. Wenn der Südländer seine Mauern rosa, sepiabraun, pompejanischrot streicht, so tut er es, weil manche Teile seiner Landschaft nach einem Farbfleck schreien; nichts Trostloseres als das einförmige Grün der lombardischen Mais- und Weinfelder. Unser Bauer kalkt das Steinhaus. Zum Saftgrün der Wiese, zum Dunklen des Waldes, zum Braun und Blaugrün des Berges steht nichts schöner als dieses reine, lichtsatte Weiß. Auch die Kirche ist am schönsten so, und das ganze Dorf gewinnt eine klare, deutsche Schmuckheit aus diesem Weiß und Grün. Besser als die roten Ziegeldächer stimmen die Lärchenschindeln dazu, die im Alter einen seidigen, silbergrauen Glanz bekommen. Sie erinnern dann, vom Berg her gesehen, an das helle, melierte Gefieder von Raubvögeln.

Wo das Haus ganz aus Holz erbaut ist, sorgen Sonne und Regen zusammen mit der verwendeten Holzart für die richtige Beize. Wer in Tirol und Salzburg die großen Bauernhöfe kennt, an denen kein Fleckchen Weiß die dunkle Glut des Gebälkes stört, an den Fenstern aber und den ganzen Söller entlang Blumen in allen Farben stehen, dahinter der helle Fels und über allem der tiefblaue, dunstlose Himmel — der hat ein Stück farbiger Welt vor sich, das ihm über das Entzücken hinaus ein warmes Gefühl für den Menschen eingibt, der so zu bauen versteht.

Josef Leitgeb

Innsbruck, Schloß Ambras. Unterhalb des Hochschlosses ist der lange saalartige Baukomplex mit dem Spanischen Saal gelagert, eines der bedeutendsten Renaissancedenkmäler nördlich der Alpen (1570/71); während der sommerlichen Schloßkonzerte erstrahlt es in einzigartiger Pracht.

Innsbruck, Ambras Castle. At the foot of the old castle the Spanish Hall complex, one of the outstanding Renaissance structures north of the Alps, was built in 1570-71. During the summer months it forms a splendid setting for exquisite concerts.

Innsbruck, le Château d'Ambras. C'est en-dessous du Château d'Ambras que se trouve le bâtiment avec la Salle espagnole, le plus beau monument architectural de la Renaissance au Nord des Alpes (1570—1571). En été, des concerts ont lieu dans ce cadre splendide.

Innsbruck, Castello Ambras. Al di sotto del castello trovasi la costruzione allungata a forma di sala contenente il salone spagnolo che è una delle opere del Rinascimento più importanti a Nord delle Alpi (1570/71). Durante i concerti estivi il Castello risplende in una grandiosità singolare.

Die Innsbrucker Hofburg. Die heutige Gestalt des Haupt- bzw. Osttraktes stammt vom Um- und Neubau der Burg in den Jahren 1766–1770. In den Giebelfeldern die anläßlich der Rückkehr Tirols zu Österreich 1814 angebrachten Wappen Kaiser Franz' I. von Österreich.

The Royal Palace. The main and eastern tracts of the palace were given their present from in the course of the reconstruction of 1766–1770. In the gables the coats of arms of Emperor Francis I were added in 1814 on the occasion of Tyrol's reunion with Austria.

Le Château impérial, la Hofburg. Telles qu'elles se présentent actuellement, l'aile principale et l'aile Est furent remaniées de 1766 à 1770. Sur le fronton nous remarquons les armes de l'empereur François I d'Autriche, elles datent du retour du Tyrol à l'Autriche en 1814.

Il Palazzo imperiale (Hofburg) di Innsbruck. La forma odierna della facciata principale ed orientale deriva dalla trasformazione e ricostruzione del palazzo negli anni 1766–1770. Gli stemmi dell'imperatore Francesco I° d'Austria vennero applicati nei timpani del frontone in occasione del ritorno del Tirolo all'Austria.

Colourful Mountainland

Innsbruck, Paris-Saal. Im ehemaligen Palais Welsberg (Taxis) in der Maria-Theresien-Straße hat der Tiroler Maler Martin Knoller 1785/86 diese Deckenfelder in klassizistischer Eleganz gestaltet. Die Ausstattung dokumentiert die hohe Kunstgesinnung des städtischen Adels.

Innsbruck, Paris Hall. This classicist ceiling in the former Welsberg (Taxis) town house was painted in 1785-86 by the Tyrolean artist Martin Knoller. The decorative furnishings testify to the artistic taste of the urban aristocracy.

Innsbruck, Salle Paris. C'est au peintre tyrolien Martin Knoller que sont dues les fresques du plafond de la Salle Paris dans le Palais Welsberg (Taxis), rue Marie-Thérèse à Innsbruck. D'une élégance classique, elles datent de 1785—1786 et témoignent des goûts artistiques de la noblesse urbaine.

Innsbruck, Sala di Paride. Nell'antico palazzo Welsberg (Taxis) nella Maria-Theresien-Strasse il pittore tirolese Martin Knoller creò negli anni 1785/86 queste pitture a soffitto di un'eleganza classica. Questa decorazione fa prova del grande amore per l'arte della nobiltà cittadina.

Coming to the mountains, a man from the plains feels right away that here the air is different — thinner, lighter, harsher. It gives the colours freshness, makes them clear and distinct; the softening, blending effect of the haze which veils the horizon in the flat land is lacking. Clearly, almost violently the mountain flanks cut into the sky, the horizon is near and high and frequently broken by the contours of the mountains, winding, scandent, always quite different from the rolling country; instead of the fading blue distance there is close, sombre solidness.

To the colours of forests, fields and meadows are added those of rocks, snow and ice. In addition, there is the simultaneousness of the seasons: winter down to the tree line, spring in the mountain forests, early summer in the valley. Around Whitsun, in May or early June, the meadows may be in full bloom while the larch trees up high only begin to show their first delicate green and new snow lies as far down as the alpine pastures. This picture is so impressive in its almost cruel brilliance that it is not easily forgotten. But like so many things whose stark contrasts enchant us, it may not be a subject for painters. What is an artist to do with the pure, unadulterated green that covers the slopes in April — and yet it is balsam for our eyes after the endless white of the winter months.

The mountain largely determines the colouring of our landscape. If it consists of limestone and is therefore barren far down into the valley, it can — according to the atmospheric conditions, the season, and the time of day — assume a delicate, almost transparent greyish blue, various shades of yellow, gold, and rose-red, the Föhn can give it a metallic brightness and the vertical impact of the summer sun gives it the appearance of bleached bone-work. Slate, on the other hand, allows the different greens of grass, moss and lichen to reach almost up to the summits; turning to blue in the distance, it shows warm hues from a rusty brown to a coppery red in the autumn and turns to a deep purple in the evening light. But the majestic "ten-thousanders" in the Central Alps loom dark above the approaching wanderer — redoubtable shapes of black in the bright midday light. The Zillertaler and Tauern Ranges have a very special colouring because they contain light green serpentine, dark green hornblende, and various reddish and yellowish minerals which, blended with the reflected blue of the sky, give them an almost weightless appearance. Seen from above, they resemble banks of coloured clouds, solid and yet as if floating in the changing light. There is much more water in the Central Alps than there is in the limestone ranges; brilliant white streams cut through the sombre massifs, cascades spread their veils over black rocks alternating with cool, green pastures. The emerald waters of the mountain lakes and the large rivers in the main valleys, on the other hand, reflect the browns, reds, blues, and ochres of the rock walls — a fascinating play of colours.

From the point of view of colouring, summer is the least interesting time in our region. The air is moist and the shadows are dulled by an opaque blue, the pine

11

forests covering large parts of the mountain country are of a parched, dull green and only the slanting rays of the rising or setting sun cause certain transitions and illuminations; our sky is limited and only the snows of the mountain winter give us colour effects similar to those seen in the plains when white clouds accumulate in the summer sky.

Thus winter — in spite, or perhaps because of the evenly snowcovered landscape — is the most colourful time of the year with us. The values are purest, the blendings and shadings most candid, the reflections strongest. Snow obliterates the aestival contrast between numb nearness and oscillating distance, its light penetrates both with the same luminosity, creating innumerable shades of blue; pure shadows which, thanks to an admixture of red, are never as cold as their blueness would seem to warrant, are cast on the rose- and gold-glittering surface of the snow. Under their soft cover the pine forests blend gently with the snow-covered meadows, and against the surrounding whiteness the green of the rivers and streams assumes the brightness of beryl or aquamarine. This festival of colours lasts into the dry month of March, when the fallow brown of the slopes gives a warm touch to the otherwise still wintery landscape and even the sky above the mountains reflects reddish hues. The first green of the beech trees forms bright spots among the dark evergreens. In the autumn their brown leaves lit up the mixed forests before falling to the ground where they rotted in red and purple patches while the larch groves on the meadows radiated their luminous gold; now they sprout a delicate, cool, floating green which gives a certain austere distinction to the landscape and combines happiest with the light-grey limestone of the Wetterstein. Altogether the larch tree, singly or in its typical formation of sparce, sun-lit groves, adds much more to the colouring of the landscape than the evergreens do. In this it equals the deciduous trees which, every autumn, transform the Vienna Woods and the hills near Graz into a veritable feast for the eyes.

Around this time of the year the Föhn usually blows in the central part of the Inn Valley and whatever the morning or evening sun, or the subtly screening grey of sunless days manage to bring forth in the way of colour, now seems to glow from within. The towns, where greys and greens dominate in the summer, are barely recognizeable on such days. The hot, dry air transforms their brittle and often sombrely austere appearance into a fairytale landscape resembling the pictures of southern islands; there is no blue more saturated than the indigo of the mountains, no green more brilliant and yet more perfectly attuned than that of the surrounding meadows, no brown as warm as that of the faded mountain slopes. Neither pure, cold white, nor dead black disturb the colour polyphony, an all-permeating red lends a soft glow even to the utter blackness of the night.

A few words should be said about the marvellous adaptability with which our peasant houses fit themselves into the landscape. If the southerner paints his house pink, sepia, or pompeian red he does so, because certain regions demand such patches of colour; there is hardly anything more dreary than the uniform greenness of the fields and vinyards of Lombardy. Our peasant whitewashes his house. This forms a perfect complement to the rich green of the meadows, the dark green of the forests, and the brown and blue-green of the mountains. The church, too, looks best in this way, and the entire village breathes a green-and-white, typically Germanic neatness. Larch shingles, which assume a silky, silvery sheen with age, are better suited to this picture than red, tiled roofs. Seen from the height of a mountain, they resemble the mingled plumage of birds of prey. Where the houses are built entirely of timber, sun, rain and the choice of wood combine to give them the right stain. Whoever has seen the large peasant houses of Tyrol and Salzburg, with not a speck of white breaking the warm darkness of the wood, their windows and balconies festooned with flowers of all colours, set against a background of light grey rocks and a deep blue sky, has seen a most colourful bit of the world which, besides the enchantment caused by such a view, will give him a warm feeling for the people who know how to build in this manner.

Josef Leitgeb

Il colore nella montagna

Chiunque venga dalla pianura per stare un po' di tempo in montagna, sente per prima cosa che qui c'è un'aria diversa. E' più fine e più leggera, più frizzante che altrove. Quest'aria dà freschezza ai colori, tutto risulta più stagliato e nitido. Manca quella foschia che attenua e confonde e che in pianura vela l'orizzonte. I fianchi dei monti si ergono chiari e quasi con violenza nel cielo nudo; l'orizzonte è vicino e alto, spesso interrotto dalle sagome delle cime, ora completamente avvolto nelle montagne, ora a fondali successivi, comunque sempre totalmente diverso dall'orizzonte delle colline. Nessuna profondità bluastra, ma piuttosto una vicinanza scura, materialmente pesante.

Al bosco, al campo di grano e ai prati si aggiunge il monte e con esso il colore della pietra, dei nevai e del ghiaccio. In più qui si ha la contemporaneità delle stagioni: l'inverno che scende fino al limite dei boschi, la primavera nella parte alta del bosco, e l'inizio dell'estate a valle. A Pentecoste l'erba dei prati può essere alta e ricca di splendidi colori, mentre in alto i larici mettono il loro tenero verde e più su fino alle malghe brilla la neve fresca. Tutto questo crea un quadro di una tale penetrazione e di una forza luminosa talmente cruda da non poterlo più dimenticare. Forse non è neppure un quadro adatto per un pittore, come altre visioni che ci affascinano per i loro forti contrasti. Che cosa potrebbe fare un artista con quel verde puro senza patina, che in Aprile riempie la vallata — eppure fa un effetto così benefico al nostro occhio, dopo tanto bianco.

Ma è proprio la roccia della montagna che dà colore al nostro paesaggio. Se essa è calcarea e quindi spoglia fin giù molto in basso, allora può, a seconda del tempo, della stagione o dell'ora del giorno, variare dal più tenue grigio azzurro — che pare toglierle il peso — a tutte le gradazioni del giallo fino all'oro e al rosato della sera. Nella luce dello scirocco può brillare con toni metallici e sotto il sole a picco dell'estate può essere biancastra come ossa sbiadite. Se è di lavagna permette al verde dell'erba di montagna, del muschio e dei licheni, di arrivare fin su quasi alla vetta. La lontananza rende la montagna bluastra, l'autunno d'un marrone ruggine fino al rosso ramè e la sera rosso porpora. Le montagne sopra ai 3000 delle Alpi centrali sembrano nere a colui che si avvicina; nere da far paura nella forte luce del meriggio. Nelle montagne dello Zillertal e delle Hohe Tauern troviamo una roccia che brilla d'un forte colore originale, per esempio il serpentino verde chiaro o la lavagna verde nerastra del l'orneblenda. Fra queste si ergono masse rossastre o ocra scuro rese più vicine tra loro dalla luce azzurra del cielo o rese più leggere di quanto non siano di propria natura le montagne. Viste da un punto elevato si allineano come una processione di nubi colorate, solo più compatte delle nubi, ma pur sempre in un movimento fluido a causa dell'alternarsi di luci e ombre. Le Alpi centrali hanno il vantaggio, rispetto alle catene calcaree, della ricchezza d'acqua. E anche qui, cromaticamente, non c'è nulla di più affascinante di quella candida venatura che sgocciola o spumeggia incastonata nella roccia nera o nel verde chiaro e fresco dei prati. Mentre nel lago alpino o nei larghi torrenti delle valli principali pare scorrano insieme all'acqua i colori della roccia che vi si specchia: il bruno, il rosso, il blu fondo o l'ocra chiaro della roccia che si fondono alle sfumature del verde dell'acqua.

Il periodo in cui il nostro paesaggio è cromaticamente più monotono è l'estate. L'aria è umida, una foschia azzurra si stende sopra le ombre. Il bosco di abeti che ricopre gran parte del paesaggio montano è di un verde smorto e opaco. Solo le ore del mattino e della sera con la loro luce obliqua producono paesaggi e mutazioni di colori vivaci. Qui il cielo, con i suoi giochi di nubi sopra la pianura, provoca instancabilmente rifrazioni, adombramenti e crescendi di luce. Il nostro cielo è piccolo e solo le masse di neve dell'inverno ci danno quel tanto di colore che in pianura viene dato dalle masse di nubi in piena estate. Per questo da noi, malgrado l'inverno ricopra il paesaggio con la sua coltre uniforme di neve — o proprio per questo — esso è in effetti la stagione più colorata dell'anno. La purezza dei toni è massima, il loro fondersi non è ostacolato, l'effetto della luce riflessa è più forte. Il contrasto estivo tra il primo piano cromaticamente morto e le lontananze vive è vinto dalla neve. La sua luce trapassa ambedue con ugual forza che crea il colore; i piani più vicini già fioriscono nei blù più vari, le ombre cadono nette nel bianco rosato e dorato della neve e, per via dei rossi che quasi sempre vi si mescolano, non sono neppure così fredde come generalmente ci si potrebbe aspettare.

I boschi di abeti, bluastri sotto la morbida cappa, armonizzano ora senza più contrasti con i prati innevati i fiumi prendono un verde più chiaro e si stendono in quel candore immacolato come lastre di acquamarina. Questa festa del colore dura fino alle giornate cristalline e asciutte di marzo in cui il bruno spento delle chiazze scoperte dei pendii si mischia all'atmosfera invernale e il cielo sopra le cime dei monti sembra accendersi anche di giorno di un misterioso colore rossastro. Questo quadro viene rischiarato dal gaio risplendere del primo verde dei faggi che occhieggia guizzante tra gli abeti più scuri. In autunno questi alberi avevano dato al bosco un aspro color bruno e le foglie cadute al suolo si erano scolorite in toni rossi e violetti. Sui prati di montagna i larici radi si erano trasformati in sagome vitree e imbevute di luce e avevano dato al bosco lontano un caldo color oro. Ora essi mettono un verde delicato, fresco e fluttuante che dà a certi paesaggi una severa e dignitosa delicatezza alla quale ben si adatta la pietra calcarea grigio chiara del Wetterstein. Il larice, sia come albero isolato che con il suo modo di formare un manto forestale rado e trasparente alla luce, offre dal punto di vista dei colori molto di più dell'abete. Fa come gli alberi frondosi del bosco viennese o quelli delle colline di Graz che trasformano l'autunno in una vera festa per gli occhi.

La valle media dell'Inn è spazzata in questo periodo dallo scirocco e tutto quel colore che nei giorni senza scirocco il sole del mattino e della sera o il grigio opaco del cielo coperto fanno risaltare è ora incandescente come se un fuoco covasse nelle cose. La cittadina di montagna, che in estate è dominata dal verde e dal grigio chiaro, in quei giorni non la si riconosce più. Il suo aspetto, nei suoi colori spesso tetri e severi, diventa fiabesco come quello di un'isola meridionale in quell'atmosfera rarefatta e estrememamente secca. Nessun blù è più intenso dell'indaco dei suoi monti in lontananza. Nessun verde più sfavillante e quindi più armonioso di quello dei suoi prati. Nessun marrone così caldo come quello dei pendii scoloriti dei monti. Nessun bianco puro e freddo, nessun nero intenso disturba quel concerto di colori. Il rosso pare traspirare da tutti i colori. Perfino nel nero fondo della notte sembra sopravvivere ancora un bagliore di rosso.

Ancora una parola sulla casa del nostro contadino che si inserisce perfettamente in questo paesaggio alpino. Se l'abitante del sud dipinge le sue case di rosa, seppia o rosso pompeiano, lo fa perchè alcuni tratti del suo paesaggio reclamano a gran voce una macchia di colore. Non c'è nulla di più sconsolato del verde uniforme dei campi di granoturco e dei vigneti in Lombardia. Il nostro contadino intonaca invece di bianco la casa di pietra. Accanto al verde intenso del prato e al cupo del bosco, al bruno e al grigio-azzurro della montagna non c'è niente che stia meglio di quel bianco puro e pieno di luce. Anche la chiesa sta meglio di tutto così e tutto il paese riceve da questo bianco e verde un ornamento lindo e tipicamente tedesco.

Meglio ancora dei tetti di tegole rosse stanno i tetti rivestiti di scandole di larice che, invecchiando, splendono di un colore grigio argentato come di seta. Viste dai monti rammentano il chiaro mantello di piume degli uccelli rapaci.

Se la casa è costruita interamente di legno ci pensano il sole e la pioggia unitamente al tipo di legno impiegato, a darle la giusta tintura. Chi conosce nel Tirolo e Salisburgo quelle case contadine costruite interamente in travi di legno scuro, non interrotte da nessuna traccia di bianco, con fiori coloratissimi alle finestre e lungo i balconi di legno, sullo sfondo la roccia chiara e sopra il cielo terso — costui si trova di fronte a uno spettacolo in policromia che, al di là del suo incanto, gli fa intuire lo spirito dell'uomo che abita in questo ambiente e che sa costruire così.

Josef Leitgeb

Tulfes. Eine Frühlingsfahrt durch das Innsbrucker Mittelgebirge gehört zu den eindrucksvollsten Erlebnissen. Zu Füßen des Glungezers liegt inmitten satter Wiesen Tulfes, im Hintergrund das Inntal mit der verschneiten Karwendelkrone.

Tulfes. A trip across the Mittelgebirge plateau near Innsbruck in spring is a memorable experience. The village of Tulfes lies at the foot of the Glungezer, surrounded by rich grassland; in the background one sees the Inn Valley and the snow-covered Karwendel massif.

Tulfes. Une randonnée printanière dans les montagnes d'altitude moyenne aux environs d'Innsbruck laisse d'inoubliables souvenirs de vacances. Tulfes s'étale au milieu de prés verdoyants au pied du Glungezer, à l'arrière-plan la vallée de l'Inn et les crêtes enneigées du Karwendel.

Tulfes. Una gita in primavera attraverso le colline di Innsbruck è una delle esperienze più indimenticabili. Ai piedi del monte Glungezer giace in mezzo a prati di verde intenso, il villaggio di Tulfes. Nello sfondo si presenta la valle dell'Inn con la sua corona del Karwendel coperta di neve.

Brenner-Autobahn mit Schmirntal. Wie ein stählernes Band zieht sich die Brenner-Autobahn über tiefe Täler und entlang sonniger Berghänge durch das Wipptal und läßt Technik und Natur zu einer harmonischen Einheit werden.

Brenner Autobahn and Schmirn Valley. Like a steel ribbon the Brenner Autobahn winds along sunny slopes and across deep gorges and valleys. Here nature and technology blend in perfect harmony.

L'autoroute du Brenner et la vallée de Schmirn. Comme un ruban d'acier l'autoroute du Brenner franchit de profondes vallées et sinue à flanc de montagne dans le Wipptal. La technique et la nature s'y cotoyent en parfaite harmonie.

L'autostrada del Brennero con la valle Schmirn. Simile ad un nastro d'acciaio l'autostrada del Brennero si snoda attraverso valli profonde e lungo pendii soleggiati nella Val Vipiteno. Qui la tecnica e la natura armonizzano perfettamente.

Pittoresque pays de montagne

L'habitant des plaines qui se rend pour quelques temps en montagne sent tout d'abord qu'il y respire un autre air, à la fois plus léger, plus subtil et plus tonique qu'ailleurs. En montagne, l'air avive la fraîcheur des coloris, leur donne des contours précis, bien délimités; on y chercherait en vain les nuées adoucissantes et floues qui voilent l'horizon dans les pays non montagneux. Les montagnes sont claires et c'est presque brutalement qu'elles escaladent un ciel nu. L'horizon est proche, très haut, entrecoupé par des montagnes différemment groupées, étagé, profilé et toujours bien distinct de l'horizon et des lointains bleuâtres et vaporeux d'un pays de collines. On dirait plutôt qu'ici l'horizon s'alourdit, se matérialise.

A la forêt, au champ de blé et au pré verdoyant la montagne ajoute ses magies, avec les couleurs de la roche, du champ de neige et de la glace. Il y a aussi le côtoiement des saisons: l'hiver qui descend jusqu'à la limite des arbres, le printemps dans la forêt alpestre, le début de l'été dans la vallée. A l'époque de la Pentecôte, les herbages peuvent déjà se présenter dans toute leur splendeur; plus haut, les mélèzes se couvrent timidement d'un vert tendre et, plus haut encore, une neige éblouissante, fraîchement tombée, s'étend jusque sur les alpages. Ce tableau se présente avec une telle acuité, une telle luminosité, qu'on ne l'oublie jamais. Ce n'est peut-être pas un tableau pouvant attirer un peintre, comme tant d'autres choses qui nous charment par leurs contrastes. Et que ferait un artiste de ce vert pur et sans voile qui couvre les pentes des vallées en avril? A nos yeux, c'est malgré tout un véritable baume après les longs mois de blancheur immaculée.

C'est donc la montagne qui donne ses tonalités à notre paysage. S'il s'agit d'une montagne calcaire aux flancs dénudés, selon le temps qu'il fait, la saison et l'heure du jour, elle prend des coloris d'un bleu-gris qui en allège les contours, elle passe par toutes les gammes du jaune à l'or et aux teintes ardentes et rougies du soleil couchant, le Foehn lui donne des reflets métalliques et sous l'impact du soleil d'été elle est blême comme de vieux os blanchis. Le schiste, lui, s'accommode fort bien de la verdure des alpages, de la mousse et du lichen qui croissent presque jusqu'au sommet; vu de loin, il est bleu et l'automne lui donne des teintes de rouille brunâtre et de cuivre rouge, le soir il est pourpre. Quand on s'approche de lui, le sommet de 3000 mètres dans les Alpes centrales semble noir — d'un noir à faire peur et se découpant nettement dans l'aveuglante clarté du midi. Dans les Alpes du Zillertal et dans les Hohen Tauern il y a des montagnes dont les roches d'une espèce minérale particulière brillent d'une couleur intense qui leur est propre, comme la serpentine d'un vert clair et la hornblende, un schiste amphibole vert foncé. Le tout est entrecoupé de masses rougeâtres, jaunes et ocres. La lumière d'un ciel d'azur rapproche et rend plus légères ces montagnes qui, vues d'un belvédère, apparaissent sous des formes ondoyantes et coloriées comme des nuages, mouvantes sous les effets de l'ombre et de la lumière. Les Alpes centrales se distinguent des chaînes calcaires par leur richesse en eau. Et rien n'est plus beau, plus pittoresque que les cascades et les

Kapelle im Valser Tal. Im einsamen Valser Tal sind oft nur Schafherden Begleiter des Wanderers. Der Weg führt durch ein unberührtes Naturschutzgebiet zu den steilen Wänden des Olperers, der bereits 1867 erstmals erklommen wurde.

A chapel in the Valser Tal. Herds of sheep are frequently the only living beings encountered by the wanderer in the secluded Valser Valley. A path leads through a natural reserve to the steep slopes of the Olperer which was climbed for the first time in 1867.

Chapelle dans le Valser Tal, une vallée solitaire où le promeneur ne rencontre souvent que des troupeaux de moutons. Le chemin traverse une réserve naturelle protégée et mène au pied des parois rocheuses du Olperer dont la première escalade fut faite en 1867.

Cappella nella Val di Valles. Nella solitaria Val di Valles nordtirolese spesso solo le greggi di pecore fanno compagnia al camminatore. Il sentiero conduce attraverso un paesaggio intatto, riservato a parco nazionale, alle pareti ripide dell'Olperer, montagna scalata la prima volta già nel 1867.

torrents, eaux blanches bondissant le long des montagnes noires, bouillonnement d'écume sur un lit matelassé de pierres presque noires ou traversant des alpages verdoyants. Le brun, le rouge, le bleu foncé et l'ocre clair d'une paroi rocheuse s'unissent aux teintes verdâtres de l'eau des lacs alpestres et des larges rivières des vallées principales.

En ce qui concerne les couleurs, l'été est la saison offrant le moins de variétés d'aspects. L'air est humide et un bleu opaque estompe les ombres; les forêts de sapins qui s'étendent à flanc de montagne sont d'un vert terne et sans éclat, seule la clarté matinale et vespérale tombant de guingois fait apparaître des nuances et des transitions qui avivent les couleurs. Il faut dire qu'à cette époque de l'année le ciel et les nuages pommelés des régions non montagneuses offrent une inépuisable gamme de réfractions des rayons lumineux, des effets de l'ombre et de la lumière; notre ciel est petit et seules les neiges des montagnes hivernales nous donnent en coloris ce que l'habitant des plaines reçoit des torpeurs de l'été et de leurs nuées.

C'est ainsi que chez nous l'hiver est la saison la plus riche en couleurs, malgré la neige — et surtout grâce à elle. C'est alors que les coloris sont les plus purs, que les nuances se fondent le mieux les unes dans les autres, que les effets de la réverbération sont les plus marquants. La neige efface le contraste existant en été entre l'avant-plan terne et mat et le lointain, la toile de fond plus mouvante, la clarté de la neige les pénètre avec une égale intensité de coloration. Toute une gamme de bleus s'épanouit devant nous; les ombres sont nettes et légère-ment teintées de rouge, ce qui les rend moins froides et moins distantes. Les forêts de sapins bleuissent sous une molle couche d'hermine; elles se fondent sans dureté avec les prés sous la neige. Les rivières sont d'un vert clair et étendent leur ruban de béryl ou d'aigue-marine dans un site d'une blancheur immaculée. Ce florilège de couleurs se prolonge jusqu'en mars, aux jours clairs et secs, quand les teintes brunâtres des pentes déneigées viennent ajouter une note chaude à l'hiver et que le ciel dominant les crêtes semble rougeoyer. C'est aussi la feuillaison des hêtres qui vient égayer la sombre fresque des sapins. En automne, ces bosquets de hêtres ont donné à la forêt des teintes d'or et de rouille qui, au fur et à mesure de leur démantèlement, couvrent le sol d'une moquette violâtre. Sur les alpages, des essaims de mélèzes donnaient à la forêt lointaine des coloris d'or velouté; l'hiver les recouvrit ensuite d'une glaçure translucide, et les voilà maintenant empanachés d'un vert tendre, donnant à certains sites alpestres des coloris délicats, à la fois sévères et décents, en parfaite harmonie avec les calcaires du massif du Wetterstein. Il est vrai que le mélèze, croissant isolément ou en claires futaies, présente une gamme de couleurs infini-ment plus riche que celle du sapin. Il s'apparente aux arbres à feuilles caduques de la Forêt viennoise et des collines de Graz, où l'automne crée une palette d'une infinie variété d'aspects.

C'est à cette époque que le Foehn transforme les sites de la moyenne vallée de l'Inn. Sous l'effet du Foehn, les coloris suaves et parfois vaporeux qu'estompe un ciel gris et couvert, les rayons d'or du levant et du couchant, prennent des teintes ardentes et rougies, incandescentes, comme d'un feu qui les chauffe à blanc. Dominée par le vert et le gris clair durant les mois d'été, les jours de Foehn la ville au milieu des montagnes devient méconnaissable. Dans l'air raréfié, sec et brûlant, son paysage parfois sévère et aux couleurs cassantes prend un aspect féerique rappelant celui d'une île tropicale; aucun bleu n'a l'éclat indigo des lointaines montagnes, aucun vert n'est plus étincelant et plus prononcé que celui de ses prés, aucun brun n'a d'aussi chaudes tonalités que celui des pentes des environs. Rien n'altère la polychromie des tonalités — aucune froide blancheur, aucune teinte noire et terne. Le rouge est partout présent et avive les couleurs; même dans la profonde obscurité de la nuit, quelque chose rougeoie et vit encore.

Il faut également dire quelques mots au sujet de l'habitat paysan, de nos fermes alpestres qui s'adaptent admirablement bien aux tonalités du site ambiant. Si les gens du Midi préfèrent peindre leurs murs en rose, en brun sépia ou en rouge pompéien, c'est parce que certains sites ont littéralement besoin de couleurs — il n'est rien de plus triste que la verte monotonie des champs de maïs et des vignobles de Lombardie. Notre paysan chaule sa maison de pierre. Car rien n'est plus beau que le blanc éclatant de lumière et venant s'ajouter aux prés verdoyants, aux sombres forêts de sapins, au brun et au bleu des montagnes. L'église n'en est que plus jolie; grâce au blanc et au vert, le village tout entier acquiert cette coquette et caractéristique propreté allemande. Et les toits de bardeaux valent mieux que ceux de tuiles rouges; avec le temps et l'âge, les planchettes de mélèze prennent des teintes soyeuses, aux reflets d'argent. Vues du haut d'une montagne, ces toitures ressemblent un peu au plumage clair et argenté des oiseaux de proie.

Et quand la maison est entièrement construite en bois, le soleil et la pluie lui donnent la macération et la teinte qu'il faut. Celui qui connaît les grandes fermes du Tyrol et du Pays de Salzbourg, sait qu'aucune tâche de blanc ne ternit les sombres teintes rougeâtres du bois, que des fleurs multicolores garnissent les fenêtres et les galeries, avec pour toile de fond la roche claire et un ciel d'azur, serein et pur — il sait qu'il a devant lui un pittoresque et charmant coin de terre, qui le subjugue et justifie tous les éloges qu'il prodigue aux gens qui construisent encore de telles maisons.

Josef Leitgeb

Innsbruck

Zwei Blicke über die Stadt hin, der eine nach Süden, der andere nach Norden, ergeben unverwechselbare Bilder. Dabei spielt die Ansicht der städtischen Baulichkeiten keine Rolle, sie verkümmern gleichsam zu würfeligem Geröll vor den Bauten der Natur, die zweitausend Meter hoch über die menschlichen Versuche emporragen.

Jedes der beiden Bilder ist großartig. Der Ausdruck wird hier in seinem genauen Wortsinn und ohne Überschwang gebraucht. Er will sagen, daß die Art dieser Landschaft groß, ihr wesentlicher Zug die Größe ist. Das heißt zugleich, daß ihr manches fehlt, was die Schönheit anderer Landschaften ausmacht: Lieblichkeit, Zartheit und Süße, das farbige Verschwimmen nach fernem Horizonte hin, das Zerschmelzen und Verzittern unter dem Licht eines unendlichen Himmels. Ihr fehlt also vieles, und sie kann es durch nichts ersetzen als durch Größe. Eine Größe freilich, die der kleinsten Linie, der geringfügigsten Form einverleibt ist, allgegenwärtig und durch keine Änderung des Wetters oder der Jahreszeit, ja nicht einmal durch die technischen Bemühungen des Menschen zu mindern oder gar aufzuheben.

In dieser Größe liegt etwas Strenges und Verpflichtendes. Sie fordert uns dazu auf, in ihr ein Maß zu sehen, und damit hebt sie uns empor und weist uns zugleich zurück, sie lehrt uns die eigene Kleinheit und unseren Abstand von ihr selbst, sie erlaubt uns keine andere Liebe als die immerzu werbende, der sie sich nie ganz ergibt. Denn wenn es droben eintrübt oder die Nacht kommt, geht ein kaltes Grau über den Berg, er tritt in ein ungeheures Totsein zurück, das uns Lebendige ausschließt; Erdzeiten scheinen wieder anzuheben, vor denen Menschenzeit, und wäre es ein Jahrtausend, nicht mehr ist als ein einziger Atemzug. — Es bleibt — bei aller Entschlossenheit eines stadtnahen Gebirges — immer ein Rest von Fremdnis, ein abweisendes Überunsstehen, die Macht eines Alters, das vor uns begann und uns unermeßlich überdauern wird. Innsbruck besitzt eine wundervolle Altstadt, der gotische Kern ist noch schön erhalten und mit seinen Lauben, den schluchtartigen Gäßchen, dem Stadtturm und dem Goldenen Dachl zahllosen Gästen der Stadt ein unvergeßliches Bild — und doch spricht einen dieses Stück Mittelalter viel weniger historisch an als andere Städte; denn über die Giebel und Türme ragen zeitlos die Berge herein, Almen und Wald, Bergbäche und Lawinen — bis an die Ränder der steingewordenen Menschenzeit pulst das Leben der Natur, und der große Rhythmus des Jahres übertönt gleichsam den schnelleren des menschlichen Daseins. Man könnte einwenden, jede Stadt sei von Natur umschlossen und lebe den Wechsel der Jahreszeiten mit; aber welche andere ist solcher Größe ausgesetzt wie Innsbruck, solcher erschreckender Nähe und täglich fühlbaren Gewalt? Denn da ist nicht bloß das Sichtbare, das manchen Zugewanderten mit seinen Ausmaßen bedrängt; da ist die spürbare Nähe des Berges, sein strenger Hauch, die Luft der Höhe, das rasch wechselnde Heiß und Kalt, der gewaltsame Winter, die jähen Wetterstürze, der nervenverbrennende Föhn. Da kann das Thermometer innerhalb sechs Stunden um zwanzig Grad fallen, der Schnee liegt oft wochenlang in den Straßen der Randbezirke, mannshoch und zu festen Dämmen gefroren, zwischen denen der Verkehr versinkt wie in einem Dorf. Dann bricht plötzlich föhniges Tauwetter ein: in wenigen Stunden steht der winterliche Wald kohlschwarz da, von den Dächern springen die Traufen in glitzernden Brunnen, die Luft funkelt und glänzt, ein stürmischer Atem geht durch die Stadt, ein Tauen, Schmelzen und Trocknen von solcher Eile und Heftigkeit, als bräche mitten im Winter der Frühling an. Da sind die Tage voll grellen Lichts, die Nächte voll wehender Schwärze. Das Gebirge rückt in fast greifbare Nähe, die Fernen werden tief weintraubenblau. Wie eine Flamme geht der Wind durchs Blut und die überschärfte Klarheit, die er der Luft mitteilt, macht auch den Kopf fast schmerzhaft hell.

Unter dem Herbstföhn aber wird die Landschaft ein unwahrscheinliches Farbenspiel. Metallisch leuchten die Berge in Violett und Blau und Kupferrot, glasgrün liegt der Inn im Tal und spiegelt die feuerfarbnen Ufer, das brandbraune Gewölk. Da ist Innsbruck eine südlich bunte Stadt, ein fremdfarbiges Nirgendwo. Seit Tagen aber gehen quer übers Inntal die hohen, schmalen Streifenwolken, und über den Brennerbergen steht die weißgraue Föhnmauer. Dann gerät sie plötzlich in Bewegung, rollt über die Serles her, kommt wie Qualm und Brandung über die Südgrate herüber, zerfließt über den Himmel in ein gleichmäßig dichtes Grau, und wenn dann der Wind wie ermüdend endlich verstummt, lösen sich die ersten Flocken aus dem weichen Gefieder. Am nächsten Morgen ist alles ringsum eine starre Welt in Weiß, unter der Sonnenbläue des Himmels; um einen kaum merklichen Grad blauer liegen die Schatten in den Bergfalten oder sie spielen am Abend von Rosa über Purpur in kaltes Stahlblau. Dann mag die Nacht mondlos sein — bleich und scheinend steigen die Berge aus dem rauchenden Tal zu den großen Wintersternen empor.

Josef Leitgeb

Skifahrt durch die Dämmerung

Ich gleite durch dämmernde Wälder,
der Schnee mich leise umsprüht.
Versunken stehen die Bäume,
die Berge sind längst verglüht.

Ich gleite hinaus in die Wiesen,
über Hügel, die blaß verblaun,
vorbei an Hütten, die heimlich
aus roten Augen schaun.

Ich gleite vorüber an Wassern,
verschollen und unbelauscht.
Mein Herz ist von Sternen und Stille
einsam und stumm berauscht.

Hubert Mumelter

Das Stadtbild von Innsbruck

Wer Innsbruck von der Brennerstraße her betritt, oder auch wer es in der Richtung gegen den Brenner oder gegen das Oberinntal verläßt, dem fällt der ausgedehnte Baukomplex des Stiftes Wilten auf: Wilten ist, geschichtlich betrachtet, nicht etwa ein später Zuwachs, sondern die ursprüngliche Keimzelle von Innsbruck. Hier stand das römische Veldidena als wichtige Straßenstation; der Erbe dieser alten Kulturstätte war jahrhundertelang nicht Innsbruck, sondern das Stift Wilten, das schon zu einer Zeit stand, in der anstelle des heutigen Innsbruck sich nur Flußauen ausdehnten. Wilten war für die ganze Gegend von Innsbruck das kirchliche und kulturelle Zentrum; eine gründliche Reform im 12. Jahrhundert hob es zu neuer Blüte, und weitgehende Um- und Neubauten im 17. und 18. Jahrhundert gaben ihm die äußere Gestalt. In einer Zeit, wo die neuen Herren des Inntales, die Bajuwaren, für höher organisierte politische und soziale Gebilde noch nicht die nötige Kulturreife besaßen, sprang die Kirche als Bewahrerin und Vermittlerin antiken Kulturgutes helfend ein, und nur eine religiöse Idee, die Idee des gottgeweihten gemeinsamen Lebens im Kloster, war in jener rauhen Zeit stark genug, zugleich auch Träger der kulturellen Entwicklung zu sein. Als Graf Berchtold von Andechs dem Kloster Wilten das noch unbebaute Gebiet südlich der Innbrücke abkaufte, um dort einen Markt zu errichten, und von diesem Augenblick an die Entwicklung Innsbrucks sich von Wilten immer mehr loslöste, blieb doch in Wilten selbst diese Idee so lebendig, daß sie die Bautätigkeit des 17. und 18. Jahrhunderts hervorzurufen vermochte. Die äußere Gestalt des Stiftes, das auch im heutigen Stadtbild eine dominierende Stellung einnimmt, drückt das geschichtliche Verhältnis überzeugend aus.

Im Gegensatz zu dem rein religiösen Grundgedanken, dem das Stift Wilten Entstehung und Fortblühen verdankte, verfolgte Berchtold von Andechs bei seiner Gründung zunächst rein natürliche Zwecke. Gleich anderen zeitgenössischen Dynasten suchte er durch Förderung von Handel und Gewerbe den Wohlstand und die Steuerkraft seines Gebietes zu erhöhen und betrachtete die Gründung eines gut gelegenen Marktes als ein wichtiges Mittel zu diesem Zweck. Der Innübergang, auf den der gesamte Verkehr über den Brenner angewiesen blieb, war für eine derartige Gründung ein äußerst günstiger Platz; die vorzügliche Verkehrslage hatte am nördlichen Ufer bereits eine kleine Ansiedlung hervorgerufen. Aber die Enge des Terrains zwischen Fluß und Berghang trat ihrem Aufschwung hindernd in den Weg, während auf dem Wilten gehörigen Südufer, in der ebenen Talmitte, Raum genug vorhanden war. So trat der Graf mit Wilten in Verhandlung, erwarb vom Stift das Recht, den Markt an das Südufer zu verlegen und leitete damit eine entwicklungsfähige Neugründung ein. Die Urkunde, womit der Andechser das Recht der Marktverlegung erwarb, enthält auch den Hinweis auf einen religiösen Faktor, der in der Folge für das Stadtbild Innsbrucks von nicht geringer Bedeutung wurde. Nach der Tradition stand schon vor der Gründung Innsbrucks auf der Stelle der nachmaligen Pfarrkirche eine Kapelle, dem Apostel Jakob als Patron der Wanderer und

Pilger geweiht und daher St. Jakob in der Au genannt. Gleichviel nun, ob diese Nachricht zutrifft oder ob es sich um einen späteren Bau handelt: auf jeden Fall wird eine Jakobskirche in der Gründungsurkunde von Innsbruck erwähnt. Es heißt, daß die vom Grafen Berchtold ausgestattete Kapelle auch weiterhin pfarrlich von Wilten abhängig bleiben solle. Graf Berchtold hat also neben dem zeitlichen auch das geistliche Wohl seiner Untertanen nicht vergessen und war bestrebt, durch den Bau oder die bessere Ausstattung der Jakobskapelle die Bürger des neuen Marktes religiös zu versorgen. Der Aufschwung Innsbrucks, das bald zur Stadt erhoben wurde und sowohl an Einwohnerzahl wie an wirtschaftlicher und schließlich politischer Bedeutung das alte Wilten weit überflügelte, erzwang in einem zähen und jahrhundertelangen Prozeß auch die kirchliche Loslösung vom Stift und die Ausbildung einer eigenen Pfarrei.

Alle weitere Ausgestaltung, welche die heutige St.-Jakobs-Pfarrkirche im Laufe der Jahrhunderte, besonders in der spätgotischen Zeit unter Herzog Sigismund und Kaiser Maximilian sowie beim Neubau im 18. Jahrhundert erlebte, ist nur die glanzvolle Weiterbildung eines Keimes, der schon bei der Gründung der Stadt vorhanden war; der auf einen religiösen Grundfaktor zurückgeht, auf das seelsorgliche Bedürfnis nämlich, das — von Anfang an bestehend — sich mit der günstigen Entwicklung der Stadt naturgemäß immer steigern mußte.

Das städtebauliche Resultat dieses religiösen Faktors bewirkte, daß ihm Innsbruck nicht nur eines seiner größten und künstlerisch wertvollsten Einzelbauwerke, sondern auch einen Hauptakzent im ganzen Stadtbild verdankt. Das war schon im Mittelalter der Fall, wie die Stadtansicht, die Dürer in sein Skizzenbuch zeichnete, klar erweist. Das gilt nicht weniger vom Barockbau St. Jakob, der ebenfalls eine künstlerische Höchstleistung unserer Stadt darstellt, dessen Fassade mit dem davorliegenden freien Raum einen ihrer eindrucksvollsten Plätze bildet und dessen hochaufragende Baumasse mit den Doppeltürmen und mit der Kuppel auch für das heutige, wesentlich ausgedehntere Stadtbild einen seiner Hauptakzente bedeutet.

Bekanntlich hat das kirchliche Leben in den großen Städten des Mittelalters über das seelsorgliche Bedürfnis hinaus zahlreiche Institutionen geschaffen, die zu gleicher Zeit auch das äußere Stadtbild beeinflußten. Innsbruck war bei seiner Erhebung zur fürstlichen Residenz, die erst am Ende des Mittelalters erfolgte, viel zu klein und zu unbedeutend, als daß hier derartige Einrichtungen im größeren Maßstab möglich gewesen wären. Das Unterrichtswesen z. B., das hier wie überall mit der Kirche in engster Verbindung stand, war noch recht unentwickelt. Ebenso fehlten — abgesehen von Wilten — Klöster und Wohnungen für kirchliche Dignitäre, da an der St.-Jakobs-Kirche nur ein einfacher Pfarrvikar und eine Anzahl von Benefizianten angestellt waren. Auch die Absteigequartiere, die einzelne auswärtige kirchliche Institutionen, wie etwa das Kloster Stams, der Deutsche Orden, der Bischof von Brixen usw. in Innsbruck besaßen, waren nebensächlich. Höchstens die Gründung des Spitals wäre zu erwähnen, die im Mittelalter wie alle karitativen Bestrebungen einen ausgesprochen religiösen Charakter trug. Und so war es denn auch selbstverständlich, daß man das Spital nicht ohne Spitalskirche ließ. Die Kirche wurde zu Beginn des 18. Jahrhunderts vollständig erneuert, ihre in die Häuserfront der Maria-Theresien-Straße eingebaute Langseite und ihr freundlicher Kuppelturm fallen im ganzen schönen Straßenbild heute noch auf.

Gletscherbruch am Wilden Freiger. Gigantisch wirken die hohen Eisabbrüche am Wilden Freiger in den Eisregionen der Stubaier Alpen, die von erfahrenen Bergsteigern nur im harten Kampf bezwungen werden.

Glacier break on the Wilde Freiger. Gigantic breaks rend the eternal ice of the Wilde Freiger in the Stubai Alps which only experienced mountain climbers attempt to master.

Sérac du Wilden Freiger. Le gigantesque amoncellement des séracs du Wilden Freiger, dans les glaciers des Alpes du Stubai, laisse une profonde impression. C'est au prix de durs efforts que les bons alpinistes peuvent s'en rendre maîtres.

Fratture di ghiaccio sul Wilder Freiger. Un'impressione di gigantesco fanno le fratture di ghiaccio sul Wilder Freiger nelle regioni del ghiaccio eterno delle Alpi Stubai che possono essere conquistate soltanto con lotta dura dagli scalatori esperti.

Blick vom Patscherkofel ins Stubai. Vom Hausberg Innsbrucks gleitet der Blick auf die Trasse der Brenner-Autobahn, weiter auf die sanft ansteigenden Hänge des Stubaitales bis hin zu den silbrig glänzenden Gletschern der Stubaier Alpen.

View of the Stubai from the Patscherkofel. From the top of "Innsbruck's house mountain" one has a grand view of the Brenner Autobahn and the gentle slopes of the Stubai Valley up to the glittering ice fields of the Stubai Alps.

Vue prise du Patscherkofel en direction du Stubai. Du sommet du Patscherkofel, une montagne aux portes d'Innsbruck, la vue porte au loin, sur l'autoroute du Brenner et les pentes de la vallée du Stubai et les glaciers aux reflets d'argent des Alpes du Stubai.

Veduta dal Patscherkofel nella Valle Stubai. Dall'alto di questo monte, famigliare ai cittadini d'Innsbruck, lo sguardo scivola dal tracciato dell'autostrada del Brennero ai pendii leggermente ascendenti della valle Stubai fino ai ghiacciai dallo splendore argenteo delle Alpi Stubai.

Der Statthalter Graf Brandis, unter dem diese Arbeiten ausgeführt wurden, war sich voll bewußt, daß der Rennweg in seiner nunmehrigen Ausgestaltung den Anspruch erheben durfte, eine der schönsten Straßen weitum zu sein. Freilich kommt diese ungewöhnliche Wirkung nicht allein auf Rechnung der rahmenden Architektur, sondern ebenso und wohl noch mehr auf die großartige Naturszenerie, die sich mit den Architekturen verbindet. Gerade dieser einheitliche und unmittelbare Zusammenklang von Straße, Hofgarten und Nordkette, von Architektur, Baumkulissen und Hochgebirge verschafft dem Rennweg seine auf der ganzen Welt einzig dastehende Eigenart.

Wer diese einmal entdeckt und empfunden hat, der wird nie mehr müde werden, sie zu den verschiedenen Tages- und Jahreszeiten, bei verschiedenen Beleuchtungen, im grünen oder goldenen Blätterschmuck, immer wieder neu und immer wieder anders zu betrachten und zu genießen. Wundervoll ist es, wenn man mit Sinn und Verstand vom Burggraben her durch den engen und niedrigen Torbogen schreitet und sich nun langsam und feierlich der weite und mächtige Bergraum aufschließt. Eine besonders günstige Ansicht hat man auch am Eck der Gartenanlage zwischen Stadtsaal und Hofkirche, gleich neben dem schönen, grün und gelb gesprenkelten Ahorn. Im Vordergrund steht der Leopoldsbrunnen und die herrliche Blutbuche, im Mittelfeld die ganze lange Front der Hofburg mit den Kuppeln des Eckrondells und der St.-Jakobs-Pfarrkirche; und — das Ganze mächtig zusammenfassend — im Hintergrund die Nordkette, die die Partie mit den Kuppeln noch eigens umfängt und hervorhebt. Dieses Bild ist jedesmal anders: besonders eindrucksvoll gegen die abendliche Dämmerung, wenn alle Einzelheiten verschwinden und nur die großen Linien wirken; überwältigend in einer Frühlingsmondnacht, wenn über den jungen Bäumen und den dunklen Wäldern zuoberst noch ein breites Schneeband hinter der Reiterfigur Leopolds V. gleißt und schimmert.

Die Hofburg am Rennweg wurde unter Maria Theresia aus einem spätgotischen Bau in die heutige einheitliche, aber weniger malerische Form umgestaltet. Imposant wirkt unter den Gemächern der durch zwei Stockwerke gehende Riesensaal mit den Deckenbildern von Maulpertsch und den einheitlich angeordneten großen Porträts des Kaiserpaares und seiner vielen Kinder.

Durch die noch aus dem 16. Jahrhundert stammende Silberne Kapelle ist die Hofburg mit der Hofkirche verbunden, einem 1553 bis 1563 aufgeführten dreischiffigen Bau, in dem die ausgedehnte Gotik und die beginnende Renaissance miteinander kämpfen. Viel bedeutender als der Bau selber ist das Grabmal Kaiser Maximilians mit den Marmorreliefs am Katafalk und den 28 Erzstatuen, von denen die ältesten, von Gilg Sesselschreiber entworfen (1509 bis 1517), künstlerische Höchstleistungen darstellen. Das zeigt sich sowohl in der ausgezeichneten Gußtechnik als auch in der überzeugenden Charakterisierung der einzelnen Figuren, ihrer Haltung und ihrer Köpfe. Die von Stefan Godl 1520 bis 1534 gegossenen Statuen erreichen die Genialität Sesselschreibers nicht, sind aber immer noch bedeutende Werke, zumal wenn man bedenkt, daß die Innsbrucker Gußhütten damals sozusagen aus dem Boden gestampft werden mußten. Dabei plante der Kaiser ein Grabmal noch in weit größerem Ausmaß, mit 40 großen Statuen und 100 Statuetten, die mit dem Hause Habsburg verwandte Heilige darstellen sollten. Von Godl wurden nur 23 ausgeführt, die sich heute auf der rückwärtigen Emporebrüstung befinden und ebenfalls sehr beachtenswerte Kunstwerke darstellen. Die berühmtesten und bis in die jüngste Zeit fast allein näher beachteten Figuren sind Dietrich von Bern und König Artus, von Dürer entworfen und von Peter Vischer in Nürnberg 1513 gegossen. Die Gestalten Gilg Sesselschreibers können sich an Ausdruckskraft mit ihnen ruhig messen.

Die ebenfalls in der unmittelbaren Nähe der Hofburg gelegene Propstei- und Stadtpfarrkirche zum hl. Jakob, ein hochbarocker Bau mit reicher Ausstattung und prächtiger Farbenwirkung, wurde 1717 bis 1722 nach einem Entwurf von Johann Jakob Herkommer aus Füssen errichtet und von den Brüdern Asam mit Stukkaturen und Deckengemälden verziert. Das Mariahilfbild am Hochaltar von Lukas Cranach ist das populärste Madonnenbild der Alpenländer. Sehr beachtenswert ist auch das Grabmal des Deutschmeisters Maximilian II., 1618 gegossen. Um ein Jahrhundert älter und strenger im Stil als die Pfarrkirche ist die Jesuitenkirche zur Hl. Dreifaltigkeit.

Wenn man vom Rennweg in die Universitätsstraße einbiegt, kommt man plötzlich in eine andere Welt. Dort ein mächtig ausgreifender Raum, die einmalige Verbindung von Architektur und Hochgebirge, hier eine strenge und enggeschlossene Gasse. Dort höfischer Glanz, hier, wo die einförmige, langgezogene Fassade der Alten Universität dominiert, klösterlicher Ernst und akademische Trockenheit. Ähnliches finden wir in Hall, wenn wir aus den bewegten und malerischen Gassen auf den stillen und strengen Platz hinaustreten, der — vom Damenstift, dem ehemaligen Jesuitenkloster und vom Gymnasium eingeschlossen — sich als ernstes Schul- und Klosterviertel von der bürgerlichen Welt deutlich und bewußt abhebt und distanziert. Auch die Universitätsstraße ist ein solches Schul- und Klosterviertel, das ursprünglich von den Konventen der Franziskaner, der Jesuiten und — anstelle der heutigen Klosterkaserne — von den zwei Häusern der Servitinnen gebildet wurde und außerdem die Schulgebäude der Jesuiten beherbergte. Die ruhigen und gleichmäßigen Bauformen der Alten Universität spiegeln diese Bestimmung der Straße noch heute überzeugend wider; auch der Platz vor der Jesuitenkirche mit den symmetrisch geformten Seitenkulissen gliedert sich diesem Gesamtbild vorzüglich ein.

Auch die Rückseite dieser Bauten ist der Beachtung wert. Wer den Durchgang von der Museumstraße zum Gymnasium und zur Jesuitenkirche durchschreitet, kann eines der charaktervollsten Architekturbilder unserer Stadt genießen. Die ausgedehnte Gartenfläche ermöglicht den freien Ausblick, der die ganze Bautengruppe umspannt und erst zu einem einheitlichen Bilde zusammenschließt. Den Mittelpunkt bildet die Alte Universität. Die guten Maßverhältnisse der Stockwerkeinteilung, die regelmäßigen, schlicht gerahmten Fenster, die alles zusammenfassenden Gesimse, die Rustica des Erdgeschosses und der Eckeinfassung geben ihr etwas ungemein Klares und Ruhiges; eine stille wohltuende Harmonie, die man stark empfindet. Links schließt sich die Rückseite des Volkskunstmuseums und die Hofkirche und rechts, mächtig aufgetürmt, die Jesuitenkirche an, zwei seitliche Abschlüsse, die der ganzen Gruppe erst volle Wirkung und Bedeutung sichern. Noch mehr ist das der Fall, wenn der Beschauer seinen Standpunkt so wählt, daß über das Dach der Alten Universität noch die Nordkette hereinragt. Das gibt, ähnlich wie am Rennweg, ein Bild, wie es mit seiner engen Verbindung von Natur und Kultur, von Menschenhand und hochalpiner Herrlichkeit auf der ganzen Welt nur in Innsbruck möglich ist. Eine besondere Sehenswürdigkeit Innsbrucks ist das „Goldene Dachl" an der alten Hofburg, die im übrigen völlig umgestaltet und alles ehemaligen Glanzes beraubt ist. Das „Goldene Dachl" ist ein offener Balkon aus Kramsacher Marmor, mit prächtigen Reliefs und Fresken reich geschmückt und mit vergoldeten Bronzeplatten gedeckt. Es ist ein Werk der Thüring, die zwischen 1480 und 1540 die Innsbrucker Bauhütte leiteten; von ihnen stammen auch die mit Reliefs verzierten Erker am Trautsonhaus, Café Katzung und am Deutschordenshaus sowie die mit Stabwerk und Hohlkelchen reich geschmückten Portale an verschiedenen Bürgerhäusern. In der Barockzeit war die Architektenfamilie der Gumpp, von denen es Christoph — der „Stammvater" — vom Tischler zum Hofbaumeister brachte, im Kirchen- und Palastbau führend.

Eine Sonderstellung nimmt das spätgotische, um 1740 mit überreichem Stuck überzogene Helblinghaus ein. Der Name Helblinghaus stammt von Cafetier Helbling, der es um 1800 besaß. Da es seit 1868 ein halbes Jahrhundert lang das katholische Kasino beherbergte, trägt das Haus auch diese Bezeichnung. Beide Namen sind jung und zufällig, während das Haus selber in die gotische Zeit zurückreicht und sein Erbauer nicht bekannt ist. Die gotische Entstehungszeit verraten die hohe schmale Form der Giebelfront, die Erker, die drei spitzen Laubenbögen und die gotische Dekoration, die bei der letzten Restaurierung unter den Stukkaturen des linken Erkers zum Vorschein kam. Um 1740 wurde die Außenseite vollständig erneuert; damals erhielt es seinen barocken Giebel und die reiche Stuckverzierung, die sein heutiges Aussehen bestimmt und der es seine Berühmtheit verdankt.

Das Haus ist denn auch jedem Innsbrucker bekannt. Wenn man aber jemanden fragen wollte, wie sein reicher Schmuck eigentlich genauer aussieht, würde er mit der Antwort vermutlich in Verlegenheit kommen. Denn es ist eine alte Erfahrung, daß man sich derartige Dinge immer nur so im allgemeinen, selten aber genauer und aufs einzelne hin ansieht. Wer sich die Mühe nimmt, einmal fünf Minuten vor dem schönen Haus stehenzubleiben und es wirklich ordentlich anzuschauen, wird staunen, welche Menge und welcher Wechsel von Ornamenten, von Blattranken, Muschelwerk, verschlungenem Bandwerk, Gitterwerk, Blumenvasen, Blütengehängen und Blütensträußen hier verwendet wurden. Auch die architektonischen Motive, die Gesimse, Konsolen, Voluten, Fensterpfosten und Fenstergiebel sind der struktiven Bedeutung fast ganz entkleidet, rein dekorativ aufgefaßt und in lauter gebrochene, geschwungene, flüssige Formen aufgelöst. Dabei herrscht auch hier reiche Abwechslung. Man sehe sich daraufhin die Fenstergiebel an: Im ersten Stock hängen sie bei aller schaukelnden Bewegung noch zusammen, weiter oben zerfallen sie in einzelne Stücke, die aber in jedem Stockwerk anders gebildet sind. Dazu kommt noch eine Vielfalt figuraler Motive, Frauenbüsten, Kinderköpfchen, sitzende und lebhaft bewegte Putti, Masken, kleine Vögel — kurz, ein ganzes Heer der verschiedensten Gestalten, die man für gewöhnlich überhaupt nicht sieht und beobachtet. Auf diese Weise ist jedes Stockwerk anders behandelt; zugleich greifen aber die einzelnen Ornamente so eng ineinander, daß aus der Bekrönung des unteren Stockwerkes wieder der Fußschmuck des oberen herauswächst und sich die Rahmung der Fenster miteinander vermengt.

Josef Weingartner

29

Spätherbst im Inntal

Herbsttöne — ein Lied, nicht traurig, aber mahnend. Gelb, rot und violett, voll huschender Glanzlichter, baumeln die schweren Ketten der Maiskolben auf dem dunkel verbrannten Holz der Häuser. Das Inntal öffnet sich in strahlender Freundlichkeit, und wenn der Sommerföhn die gewaltige Gebirgsmauer metallfarben, fast bös aufleuchten ließ, so verwandelt sie der Herbstföhn in einen weiß aufbrennenden Bergwall. Die Berge scheinen über der Stadt zu hängen, für den einen wilde, freie, beschwingte Höhe, für den anderen finstere Drohung. Frau Hitts grobes Gesicht ist zu erkennen, ihr steinerner Rock bauscht sich nun wirklich atlasweiß.

Die gigantische Bergmauer teilt sich bei Hall zu einem zweigeteilten, streng ornamentalen Massiv, und die schweren, blendenden Falten breiten sich über das von der Hitze dürre, gekrauste Gras aus. Gegen Westen steht die jäh abfallende Linie der Martinswand, die Stubaier Gletscher schillern, und die gotisch aufgebaute Spitze der Serles beglückt das Auge. Wundervoll wellt sich das Inntal, durchbraust vom Inn, dunkel und klar, tiefglühendes Blaugrün, herbstgeläutert. Durch Innsbruck zieht sich die Brennerstraße, zu beiden Seiten von Bürger- und Adelshäusern begleitet. Was für vieleckige und gebauchte Erker! Es riecht nicht nach Stadt, Bergluft rauscht wie ein Strom durch die Straßen, der Himmel ist nur wie ein Streifen über einem. Behaglich stehen die Häuser, als könnte nichts Schlimmes geschehen, als wäre man zeitlebens geborgen in ihren Mauern.

Was für eine Stille in der Hofkirche! Da steht Theoderich, der Ostgotenkönig, in lässiger Anmut; Rudolf von Habsburg; Ernst, der Eiserne, wuchtig und ablehnend; einige haben das Visier geschlossen, verbergen uns ihr Antlitz, streng und unbezwingbar. Frauen scheinen dir entgegenzuschreiten — das Kreuz hohl, den Leib vorgestreckt —, vertrauensvoll und ruhig schauen sie über den Besucher hinweg in ferne Jahrhunderte.

Im Volkskunstmuseum steht man ergriffen vor der wunderbaren Einfachheit der gotischen Bauernstuben. Maßvoll, streng und dennoch behaglich! Vom kleinsten Gebrauchsgegenstand bis zu den Möbeln haben alles Bauern und Handwerker hergestellt, empfindsame Menschen, voll Freudigkeit eines starken Glaubens! Wäre ihnen nicht sonst die kindlich-selige Heiterkeit verschlossen geblieben, mit der sie in der Barockzeit ihre Schlitten bemalt haben? Wie müssen diese leuchtenden Farben ausgesehen haben im Schnee, und die Gewänder der Frauen und Männer! Die fröhlich geschwungenen großen gelben Hüte, die zinnoberfarbenen Brustlätze und pfaublauen Strümpfe! Kann man in einer Stube trübsinnig oder melancholisch werden, wo dieser Zillertaler Schrank steht, dessen Grundfarbe ein giftig helles und mildes Grün zugleich ist und auf dem üppige Blumensträuße prangen, in der Form gebändigt und ornamental?

Der Inn gleitet sanftgebändigt und blaugrün dahin, wolkenlos spannt sich der Himmel und die Gebirge haben die Feierlichkeit, die schattenlose Körperlosigkeit der späten Herbsttage, wenn die Sonne tief in alle Abgründe und Schrunden scheint.

Alma Holgersen

Dem Brenner zu   An der Brennerstraße

Ein wenig südwärts von Innsbruck, wo die alte Stefansbrücke die Schlucht überspannt und die Brennerstraße sich in vielen Windungen am Fuße des Schönberges entlang zieht, begegnen sich zwei Bergflüsse: die Ruetz, die am Grunde der Eisberge im innersten Stubaital entspringt, und die Sill, die durch das Wipptal vom Brenner herabkommt.

Es ist nicht viel Platz im äußeren Wipptal. Nur gerade für den Fluß, die Bahn und die Straße. Dennoch ist dieses Tal seit Jahrtausenden einer der wichtigsten Verkehrswege zwischen Nord und Süd.

Am jenseitigen Hang, wo die Dörfer Igls, Patsch, St. Peter und Ellbögen zwischen Acker- und Wiesenland liegen, führte einst die alte Römerstraße heraus ins Inntal, nach Veldidena, dessen Grundmauern unter dem Boden des heutigen Stadtteiles Wilten begraben sind.

Aber der Trott der kimbrischen Ochsenkarren, der Schritt der Legionen, die eisenklirrende Pracht der mittelalterlichen Kaiserzüge, die geruhsamen Reisen der schwerbespannten Güterwagen und Weinfuhren haben längst den endlosen Kolonnen motorisierter Südlandfahrer Platz gemacht.

In die gleiche Landschaft, die einst römische Straßenbaukunst erschloß, hat unsere Zeit die gewaltigen Anlagen der Brennerautobahn hineingebaut, die Europabrücke, die in schwindelnder Höhe mit einer Spannweite von 800 Metern das Tal überquert, getragen von fünf Pfeilern, deren höchster 190 Meter mißt. Die größte Stützenweite beträgt 198 Meter.

Weiter südwärts liegt der alte Markt Matrei, da, wo sich ebenfalls bereits zur Römerzeit die Straßenstation Matreium befand. Im Mittelalter hausten hier die Herren auf Burg Trautson und am Eingang des Navistales die Ritter von Aufenstein, von deren Burg nur noch ein Quaderturm erhalten geblieben ist. Neben dem alten Turm steht die Kirche St. Katharina, im Friedhof neben der Pfarrkirche die Johanneskapelle, zu Kaiser Maximilians Zeit von den Innsbrucker Hofbaumeistern Nikolaus und Gregor Thüring erbaut.

Zwei behäbige Häuserreihen ziehen sich an der Straße entlang, da und dort lädt ein schönes schmiedeeisernes Wirtshausschild auch den modernen Nomaden mit sanfter Gewalt in gemütliche Tiroler Stuben.

Am Eingang in das malerische Gschnitztal liegt Steinach, der Hauptort des Wipptales, bekannt und beliebt wegen seiner kultivierten alten Gaststätten. Auf der Höhe, jenseits der Sill, steht das Friedhofskirchlein St. Ursula in Mauern mit seinem romanischen Turm. Darin befindet sich im Schrein eines spätgotischen Flügelaltars ein hervorragendes Kunstwerk aus der maximilianischen Zeit: Anna selbdritt (1410), von den Aufensteinern gestiftet.

Wo von Osten her das Schmirntal einmündet, liegt der Weiler Stafflach, und bald reihen sich die Häuser von Gries am Brenner zu beiden Seiten der Straße: das letzte Dorf diesseits des Passes.

Vorüber an der alten Zollstätte Lueg mit dem Kirchlein St. Sigmund, vorüber am dunklen Spiegel des Brennersees, eine letzte Steigung, dann ist der Paß erreicht. Jenseits liegt Südtirol.   Auguste Lechner

Luimes

Der Hall meiner Schritte versank
im linden Grasgrund der Lärchenwälder,
und Hütten aus honigbraunem Gebälk
verwahrten zur Zeit den Vorrat an Stille.
Sonnig erhellt sich im Kelch der Enziane
die dunkle Bläue der Nacht,
das Getränk taumelnder Schmetterlinge.

Hinaus auf das frisch gemähte Mahd trat ich,
wo der Blumen und Gräser Leichen
hingestreckt lagen von der Sense des Todes;
über ihnen schwebte unsichtbar, aber duftend
der Schwaden verhauchter Seelen;
es wehte mich an ein Geruch der Kinderzeit,
das Aroma der Schwermut aus Leben und Sterben.

Gerammt in die Erde ein Pfahl
mit verwitterter Tafel und Inschrift:
Luimes.
Langsam versinkt mir das Land in die Tiefe des Worts.
Während wir wandern durch scheinbar Vertrautes,
vorbei an heimischen Häusern, Zäunen und Bildstöcken,
spricht uns ein altes Wort an und sagt Luimes.

Horch hinein in Es und hör die Vergangenheit
rauschen; der eine nennt es rätischer Herkunft,
der andere keltischer, während der Lateiner,
an lumen erinnert, sein Licht leuchten läßt ins Romanische.
So schweig doch, damit der Stein redet und das Holz
und Luimes sagt; denn wie der Tod mitten im Leben ist,
so wohnt das Unerforschliche unter uns.

Am Hange zuoberst und hart an der Grenze,
hinter der überm Eishang und Felszack die tödlichen
Hauche des nahen Nichts streichen jahraus, jahrein,
steht auf kalkweißer Grundmauer das Bauernhaus
mit sonnverbranntem Gebälk und der Inschrift über dem Tore:
Es ist kein Sein in diesem Hause,
jagt alles der Tod hinaus.

Friedrich Punt

Lisener Ferner. Die ganze vom Umweltschmutz verschonte Naturschönheit ist in diesem Bergtal, dessen klares Wasser vom weißen Gletscherdamm des Lisener Ferners ins Tal stürzt, eingefangen.

Lisener Glacier. Nature in all its virginal beauty is preserved in this valley with its rushing stream fed by the glacial waters of the Lisener Ferner.

Lisener Ferner. A elle seule, cette haute vallée solitaire recèle toutes les beautés naturelles d'un site demeuré intact et où la pollution de l'environnement est inconnue. Les eaux claires du torrent glaciaire se précipitent dans la vallée.

Lisener Ferner. In questa valle di montagna, rimasta risparmiata dall'inquinamento ambientale, le cui acque limpide precipitano a valle dalle falde bianche dei ghiacciai del Lisener Ferner, tutta la bellezza della natura sembra essersi concentrata.

Spätherbst bei Mieming. Steil ragen wegsäumende Lärchenstämme in den Spätherbsthimmel und werfen schmale Schatten. Ein Ort idyllischer Ruhe am Mieminger Plateau.

Late autumn scene near Mieming. The larch trees rising into the autumnal sky cast narrow shadows along the paths on the idyllic and peaceful Mieming Plateau.

La fin de l'automne près de Mieming. Bordant le chemin, des mélèzes aux fûts élancés se profilent dans le ciel d'automne. C'est un site d'une idyllique tranquillité sur le plateau de Mieming.

Autunno inoltrato presso Mieming. I tronchi dei larici s'innalzano ripidi lungo i sentieri verso il cielo dell'autunno inoltrato gettando ombre strette. E un luogo, questo, di calma idilliaca sull'altipiano di Mieming.

Stams. Der gewaltige Hochaltar der Zisterzienserstiftskirche — 1609/12 vom Weilheimer Bildschnitzer Bartlmä Steinle mit über 80 Figuren geschaffen — gehört zu den großartigsten und künstlerisch wertvollsten Objekten dieses Barockzentrums im Tiroler Oberland.

Stams. The magnificent main altar of the Cistercian monastery church, with its more than 80 figures — created in 1609—12 by the wood-carver Bartlmae Steinle from Weilheim — is one of the most grandiose and valuable works of art in this center of Tyrolean Baroque.

Stams. Avec plus de 80 statues, le maître autel de l'église du Monastère des Cisterciens fut créé de 1609 à 1612 par le sculpteur sur bois Bartholomé Steinle de Weilheim et compte parmi les plus remarquables objets d'art de ce centre du Baroque dans l'Oberland tyrolien.

Stams. L'imponente altare maggiore della chiesa conventuale dei Cisterciensi, creato negli anni 1609/12 dall'intagliatore Bartlmae Steinle da Weilheim con più di 80 figure; è una delle opere d'arte più grandiose e preziose di questo centro del barocco della regione superiore tirolese.

Seebensee mit Zugspitze. Auf dem Weg zur Coburger Hütte überrascht der Blick zurück: im Hintergrund ist das gewaltige Massiv der Zugspitze breit gelagert, tief unten glänzt der violettblaue Spiegel des Seebensees.

Seebensee with the Zugspitze. On the way to the Coburg refuge an amazing vista opens: above the purple-blue mirror of the lake rises the broad massif of the Zugspitze.

Seebensee et la Zugspitze. En route pour la Coburger Hütte, le randonneur qui regarde en arrière sera surpris par une fort belle vue: le gigantesque massif de la Zugspitze forme une imposante toile de fond et, tout en bas, le Seebensee, un lac alpestre, scintille comme un miroir bleu et violet.

Seebensee con la Zugspitze. Sul sentiero al rifugio Coburg uno sguardo indietro è sorprendente. Nello sfondo si estende largo la massiccia Zugspitze, mentre giù nella profonda valle rifulge in colore viola-azzurro lo specchio del Seebensee.

Freuden der Bergwanderung

Das Beglückende ist die Natur, der man nirgends so unmittelbar nahekommt wie im Hochgebirge. Schon der Aufstieg durch den Bergwald, das eine Mal tiefe Stille und kühler Schatten, das andere Mal hellflötende Vogelstimmen und das goldfunkelnde Spiel der Morgen- und Abendsonne, welche Fülle wechselnder Eindrücke bringt er mit sich. Besonders eigenartig ist die höchste Zone des Waldgürtels mit Lärchen, Zirbeln, Latschen und Alpenrosen, üppig und saftig und wundervoll grün. Darauf folgen dann die Almmatten mit dem Duft und Farbenglanz des Bergfrühlings, im Sommer mit dem regen Treiben in den Almhütten und mit dem fröhlichen Klang der Herdenglocken, im Herbst aber braun und ernst und die fast unheimliche Stille nur vom Rauschen eines einsamen Brunnens durchbrochen. Die unterste Zone der Almflur aber, wo hauptsächlich Preisel- und Moosbeeren wachsen, ist gerade im Herbst am schönsten. Ihr weithin flammendes Rot läßt alle Pracht der Alpenrosenblüte weit hinter sich. Nur kommt es leider sehr oft vor, daß früher Schnee die Höhen deckt, bevor sich dieses herbstlich-alpine Farbenwunder noch voll entfalten kann.

Die höhergelegenen Teile der Almflur dagegen kommen, zumal in der Pracht der ersten Blüte, dort am stärksten zur Wirkung, wo aus ihnen schroffe Felswände unmittelbar emporwachsen. Wer jemals Ende Juni oder Anfang Juli unter Steilwänden wanderte, der weiß, was ich sagen will. Im übrigen ist man aber in tiefer Verlegenheit, ob man den Klüften und zackigen Türmen des Felsmassivs oder den gewaltigen Eisfeldern der Gletscher den Vorzug geben soll.

Das Gefühl, in dieser endlosen und gewaltigen Einsamkeit, wo nur noch Fels und Eis herrschen und höchstens der schrille Schrei eines Jochvogels oder aus einer verborgenen Klamm geheimnisvolles Wasserrauschen die heilige Stille unterbrechen, furchtlos und sicher sich den Weg zu bahnen, ist hier wie dort unsagbar erhebend und beglückend.

Einem Großteil der Bergwanderer ist die schöne Aussicht das Wichtigste. Und gewiß, für jemand, der nur auf die eine oder andere Woche ins Gebirge reisen kann und nur selten auf einen Gipfel kommt, ist das ohne weiteres einleuchtend. Wer aber oft zur Höhe steigt, dem ist es um die Aussicht weniger zu tun. Das eine oder andere Mal wird er sie ohnehin genießen können. Für gewöhnlich aber bietet auch schon der Weg selber und das, was einen unmittelbar umgibt, reiche Abwechslung und Anregung, und selbst eine Bergwanderung, bei der um die drohenden Felswände düstere Nebel brauen, kann ihren Reiz haben. Ist einem aber einmal ein wirklich schöner Tag mit weiter und klarer Sicht beschert, so wird man dafür doppelt dankbar sein. Dabei liebe ich für meine Person eine gute Talsicht noch mehr als den Blick über möglichst ferne Gipfelreihen. Bei günstiger Lage, z. B. im Zentrum des alten Tirol, kann man wohl auch beides haben, und zwar braucht dann der Aussichtsberg gar nicht besonders hoch zu sein.

Josef Weingartner

Stunde heimlichen Lebens

Barbara lag im Gras. Sie hatte den schlanken braunen Arm um den Stamm der jungen Birke geschlungen. Es war nichts zwischen ihrem aufwärts gewandten Gesicht und der Bläue droben, als das feine Geflecht der Zweige und das Graugrün der Blätter, die fast regungslos hingen: denn die Luft war sehr still.

Ein wenig entfernt lag das Dorf. Nicht sehr weit, eben nur so, daß sein Lärm leise geworden war. Nur der Ton der Glocke klang herauf, die Mittag läutete. Er störte nicht: er gehörte in die Stille, in die Stunde und in die Landschaft, er wurde aufgenommen und verlor sich darin, man wußte nicht wie. Vielleicht wie die Rufe der Kinder in den Höfen oder der Rauch der Feuerstätten oder das Gebell eines Hundes. Manches, was von den Wohnungen der Menschen kam, nahm die Erde an, vieles stieß sie zurück wie von einer unsichtbaren Mauer, und es hing dann fremd und häßlich und nirgends hingehörig eine Weile in der Luft.

Noch weiter fort und tiefer dehnte sich die Stadt. Sie war nicht sehr groß, und ihr Dunstkreis und ihr lautes Getriebe reichten nicht bis hier herauf. Sie war wohl da, aber sie hatte keinen Anteil an dieser Welt und dieser Stunde, und die Menschen in ihr wußten nichts mehr davon. Oder vielleicht war da und dort noch einer, den plötzlich eine unbestimmte Sehnsucht anfiel, eine Unruhe oder Traurigkeit, die er nicht begriff und nicht begreifen konnte: denn sie kamen aus dem Blut, und der Verstand hatte nichts mit ihnen zu schaffen.

Barbara schloß ein wenig die Augen. Die Luft flimmerte so silbern vor Licht, daß es fast weh tat, und sie vermeinte die Stille ganz leise klingen zu hören — wie feine Glasperlen. Irgend etwas war wie Glas an der Welt dieser Stunde, und man mußte sehr behutsam sein, damit man es nicht zerbrach.

Ein kleiner dunkler Schatten sauste durch das silberne Flirren: ein Fink saß auf dem Gipfel der jungen Birke. Der befiederte winzige Körper hob und drehte sich und vermochte nicht einen Augenblick stillzuhalten. Barbara konnte deutlich seine glänzenden schwarzen Äuglein sehen. Jetzt blähte er sich auf und wurde ganz rund: Barbara hielt den Atem an: gleich würde er zu rufen beginnen, wie er immer schon gerufen hatte, als sie noch ein kleines Mädchen war. „Du, du, du ... komm her zu mir"! sang das ganze Vogelleiblein. Sie lächelte. Immer noch konnte sie ihn ganz deutlich hören, wenn sie wollte, diesen märchenhaften Lockruf, dem sie als Kind oft lange nachgelaufen war, um dann weinend umzukehren, weil der Vogel sie nur narrte und niemals auf sie wartete. Da strich er auch schon wieder ab, und einen Augenblick später kam noch einmal sein Ruf von weiter her: „Du, du, du, komm her zu mir!"

Leise, kaum spürbar, rührte etwas an ihrem Arm. Ein Marienkäfer wanderte daran entlang gegen den Ellbogen herauf. Es sah aus, als stolpere er mühsam über den feinen hellen Flaum auf ihrer Haut. Sie ließ ihn wandern. Ihre schmalen Finger gruben sich sachte tiefer in die warme Erde, fühlten sich behutsam zwischen Gras und Moos und Wurzeln durch in die weiche braune Dunkelheit, die voll Leben war.

Barbara lag ganz still. Das war die Erde, die warme, lebendige Erde. Durch unzählige Adern rieselte und strömte es, die Hände waren wie ausgestreckte Fühler, die es aufnahmen, jeder Nerv und jeder Tropfen Blutes schien allmählich teilzuhaben an diesem Leben der Erde. Für Barbara war es nicht so besonders seltsam oder verwunderlich, dieses Gefühl, in den großen Kreis einbezogen zu sein, gleichsam nur ein Atom Erde zu sein.

Aber vielleicht, dachte sie, hätte vor Jahrhunderten ein bleicher Inquisitor sie als Hexe verbrennen lassen, wenn sie versucht hätte, ihm zu erklären, was ihr geschah.

Oder vielleicht auch hätte noch früher ein großer Heiliger in einer kleinen italienischen Stadt, in dessen Augen wie eine mildere Sonne die Liebe zu allem Lebendigen leuchtete, sie Schwester genannt, indes seine Zeit ihn selber einen Narren scholt.

Gott weiß es! Die Menschen haben geirrt, seit sie leben. Und am meisten dann, wenn sie glaubten, mit dem Verstand in Bezirke eindringen zu können, die ihm nun einmal nicht zugänglich sind.

Dennoch war es so einfach: es war nichts anderes, als daß Gott am letzten Schöpfungstage, der Jahrtausende gewährt haben mag, aus Erde den Menschen schuf. So stand es in der Bibel, an die Barbara glaubte. Aber das war es nicht allein: denn was man weiß, braucht man nicht erst zu glauben. Barbara wußte es.

Nicht, daß ihr Geist größer gewesen wäre als der aller Männer, die sich in vielen Jahrtausenden an diesen Dingen müde gedacht hatten und große Bücher geschrieben, um nur einen winzigen Schritt weiterzukommen in ihrer Erkenntnis oder sich verzweifelt in licht- und weglosem Dunkel zu verlieren.

Keiner von diesen Männern hätte gewiß Barbara um ihres Geistes willen auch nur einen Augenblick beachtet.

Dennoch wußte sie von manchen Dingen mehr als einer von ihnen. Nur war ihr Wissen von anderer Art, und von den Denkern wäre es wohl nicht als solches anerkannt worden, da es nicht durch Geistesarbeit errungen war.

Sie dachte niemals darüber nach, woher ihre Weisheit kam; sie war einfach da, so wie vieles andere, was man sein Leben lang eben wußte.

Nur schien sie nicht immer gleich stark. In Stunden wie dieser aber wuchs sie zu einer untrüglichen unabweisbaren Sicherheit. Sie strömte gleichsam durch alle Poren mit jedem Atemzug in sie ein. Sie war so sehr überall, als trüge sie der Kreislauf des Blutes durch alle Adern. Sie unterstand keiner Pflicht und keinem Willen. Es war so, wie man sehen und hören mußte, wenn man Augen und Ohren hatte.

In diesem Augenblick fühlte sie mehr, als daß sie es hörte oder sah, wie etwas sich ihr näherte.

In dem regenbogenfarbigen Licht, das durch ihre gesenkten Wimpern drang, kam eine kleine schwarze Gestalt geschritten. Sie schritt ganz lautlos durch das Gras, ein wenig gravitätisch mit einer leise lächerlichen Würde.

Es war nur eine Krähe, und an Krähen ist nicht viel Besonderes. Aber diese hier — Barbara hob sachte die Wimpern, damit ihre Augen nicht zu plötzlich und etwa erschreckend aufleuchteten und irgendein Wesen aus dieser Welt verscheuchten, in der sie selbst sich nur zu Gast fühlte: freilich wohlgelitten und sehr zugehörig, aber dennoch, ohne daß sie darin daheim war. Denn dies war es wohl, was das Menschsein manchmal so schwer machte: daß er zwischen dem

Reich der Erde und dem Reich, das jenseits ihrer Grenzen liegt, ruhelos in einem Niemandsland umherirrte, in einer kühlen, kristallenen Einsamkeit, wo die mütterliche Wärme der Erde ihre Macht verlor und der Geist noch keine Heimstatt gefunden hatte.

Aufmerksam beobachtete Barbara, wie die Krähe näher kam. Wie konnte ein Vogel ein so seltsames Gesicht haben? Es sah uralt aus und weise, auch ein wenig traurig, dachte sie verwundert, und es schien ihr plötzlich, als wäre dies gar keine Krähe, sondern irgendein verzaubertes Wesen, das nun in seinem struppigen schwarzen Federröcklein bis an sein Ende über die Erde fliegen und wandern mußte, die Beine rauh und grau wie Baumrinde, kahlgeschabt um den schartigen Schnabel, mit harten schwarzen Augen, die manchmal blitzschnell unter einer faltigen grauen Haut verschwanden. Und wenn sie den Schnabel öffnete, brachte sie nur diesen mißtönenden, trostlosen, einförmigen Ruf hervor, der häßlicher klang als die Stimmen aller anderen Vögel.

Jetzt stelzte der schwarze Bursche auf Armeslänge an Barbara vorüber, als wäre sie gar nicht da. Aber plötzlich legte er den Kopf schief, zwinkerte flink mit den Lidfalten und guckte sie an, als wollte er sagen: „Nun laß einmal sehen, wen wir da eigentlich haben!" und er sah dabei so überlegen, so persönlich und so atemberaubend verwunschen aus, daß sie sich ganz ernsthaft versucht fühlte, ihn zu grüßen. Zehn Jahre früher hätte sie es bestimmt getan und ihn höflich „Herr Rabe" angesprochen, denn der Name paßte so gut zu ihm wie keiner sonst.

Freilich war das nichts anderes als ein Rückfall in die Zeit, als die Märchen noch Wirklichkeit waren. Nur so wirklich allerdings, wie Barbara ihnen zu sein gestattete: denn sie hatte eines Tages, und zwar sehr bald schon, entdeckt, daß man sich selbst Märchen ausdenken konnte, die ebenso schön und farbig und seltsam bevölkert waren wie die in den Büchern. Es war so leicht, überall lauerte das merkwürdige, spukhafte Gesindel, und man brauchte es nur hervorzuholen: Es hockte klein und runzelig und bärtig unter dem Wurzelgeflecht des Waldes, trieb mit grünen Augen und goldenen Haaren dicht unter den Wellen den Bach entlang und winkte einem mit winzigen Fingerlein, es huschte gespenstig im Nebel und ritt im Sturm auf Gewitterwolken, und der Saum grauer Gewänder loderte feurig. Im Moor wanderte es ruhelos, mit blassen Lämpchen in den dünnen Händen, hin und her, hin und her.

Im Gebälk alter Häuser knisterte und klopfte es, und in manchen Nächten weinte es in einem Winkel wie ein verzweifeltes Seelchen.

Sie wohnten alle in der Erde, diese seltsamen Wesen, und sie schienen nur darauf zu warten, daß man sie rief, um sogleich da zu sein.

Barbara schielte nach der Krähe, und da erschien es ihr freilich zweifelhaft, ob der weise, alte Schwarzrock ihrem Ruf wohl gefolgt wäre, denn er stolzierte schon weitab durch sein Reich, ohne noch die geringste Teilnahme für sie zu bekunden, und Barbara fühlte sich zu ihrer Verwunderung ein wenig beleidigt. Aber dann war mit einemmal das Reh da. Sie hatte es nicht kommen sehen: es stand nur plötzlich da, zwischen den beiden Lärchen gegenüber. Nur ein Reh konnte so dastehen, ganz einfach dastehen und so schön sein, dachte Barbara, und es trieb ihr fast die Tränen in die Augen. Sie wußte nicht, wie sehr sie einander glichen, das Mädchen und das mädchenhafte Tier. Aber sie fühlte, daß sie einander zutiefst verwandt waren. Und wenn Barbara es gewagt hätte, wäre sie hinübergegangen, hätte den kleinen Kopf mit den hellen, sanften Augen, die den ihren so ähnlich waren, in ihre Hände genommen und liebkost wie ein kleines Geschwisterlein. Aber sie wußte, daß sie das nicht durfte.

Denn dort drüben begann ein anderes Reich, und eine Grenze war aufgerichtet seit jenem sechsten Tage, als Gottes Atem das edelste seiner Geschöpfe zum Menschen machte, ihm den Geist schenkte und die Freiheit, aus sich zu machen, was ihm gut dünkte, und die Verantwortung für sich selbst auf seine Menschenschultern lud.

Es wehte kühl über Barbara hin. Im gleichen Augenblick tat das Reh einen hohen Satz und war fort, ohne daß sie sehen konnte, was es so erschreckt hatte. Ihre Finger gruben sich tiefer in die warme Erde, als fürchte sie sich und suche Schutz. Aber sie wußte schon, daß die Macht der Erde an ihren Grenzen zu Ende war.

Es ging wie ein feiner schriller Ton durch die Luft, als wäre ein Glas zersprungen oder eine Saite gerissen.

Irgend etwas war zu Ende. Nur eine Stunde.

Barbara stand auf. Sie sah ihre Hände an. Es klebte ein wenig Erde daran und hinter den Rändern der schmalen Nägel war es schwarz. Sie würde sich gleich waschen müssen, dachte Barbara, und ihre Augen lächelten leise belustigt. Denn da, wohin sie zurückzukehren hatte, war es nicht üblich, Erde an den Fingern zu haben. Nein, es war nicht üblich.   Auguste Lechner

Heimat

Heimat, von Holunder duftend, Weide der Vögel,
Aus dem Gezweige lispeln die Väter.
Ihr freundliches Antlitz schwebt,
Ein silbern Geleucht,
Oft durch die Kammern.

Ach, hineingesunken in dich
Bin ich ganz, verwebt, ein sonniges Bild.
Sturm bewegt sich und Welt
Und Menschen wechseln und Zeiten,
Reglos, reglos
Ruh ich in dir.

Ich sehe die Spiele der Völker,
Siege, Jagden und Kampf
Draußen vorüberziehn.
Sie alle wandern zu Gott.
Wandert! Wandert! O Heimat,
Selig bin ich,
Selig, selig die Welt.

Joseph Georg Oberkofler

Bergfrühling

Jetzt ist die geheimnisvolle Zeit: die Kälte kann sich bei dem Siegesgeschrei der Vögel nicht halten. Grämlich verbeißt sich das Eis noch an schattigen Stellen, unterm Brunnen, blaßschillernd nistet es bei den großen Steinen, zersplittert aber in der Sonne.

Die Berge erheben sich glanzvoll, die Mäntel aus altem, gelblichem Samt haben königliche Vornehmheit. Aquamarine und Smaragde zieren die Säume und legen sich scharfblitzend um die Schultern der Gebirge. Zwischen den Moospolstern sammelt sich noch tückisches Eis, während viele Lärchenbäume schon rot blühen. Oh, die Räume des Himmels, die hinfließenden, milden Wiesen, die Inseln aus rauhem, goldenem Gras! Krokus steht hier, in steife, raschelnde Seide gekleidet, wie Firmlinge.

Er ruft, der Berg, nicht machtvoll und gebieterisch, nein, verstohlen süß, und nichts anderes will man, als an seiner Brust ruhen. In eine trockene Grasinsel, wie Kinderhaar so ungebändigt, sinkt man hin, und nichts gleicht diesem Ruhen, diesem Aufgelöstsein. Die haarigen Küchenschellen sind noch mit salzigem Schnee bedeckt, der aber unter dem Anhauch des Frühlings dahinperlt. Neben dir sitzt ein Feuersalamander, lackschwarz und knallgelb. Bedächtig setzt er seine Pfoten, beinahe feierlich, und auf einem goldenen Hügel macht er halt und späht um sich. Er hebt den Kopf, seine Kehle bebt, er riecht den Frühling.

Ja, ich lege mich an die Brust des Freundes, an seine sonnenheiße, liebevolle. Nichts kann mich stören und nichts von unten rufen. Er durchglüht mich ganz und gar, von hoch oben kommt seine Stimme, alte und ewig neue Geschichten raunt er mir ins Ohr. Nichts Dunkles hat Raum, er ist nicht launisch, nicht vermessen oder hochmütig, er berückt dich nicht, um sich dann grämlich abzuwenden, nein, er ist ein Kamerad und Freund, dessen Gelächter in den Wäldern hallt und in dir Seligkeit hervorruft. „Komm näher, komm doch!" flüstert er.

Und man muß seinem Ruf folgen. Erst ganz oben kannst du ihn mit den Armen umfangen. Er lockt dich, zart und dennoch feurig, schmeichlerisch und befehlend.

Im Himmel, der so nahe ist, zieht ein Habicht seine Kreise. Die durchscheinenden Flügel sind leuchtendbraun, mit vollendeter Grazie schwebt er dort oben, und der Berg und er kennen einander. Nein, der Habicht ist nicht verliebt in den Berg so wie ich, er hält sich fern; selten nur rastet er auf einem Baum. Aber jetzt stößt er herab, schon glaube ich, daß er ein Tier erspäht hat, doch nein, er setzt sich auf den Ast einer Lärche. Das Rot der rosenartigen Blüten hat ihn angezogen. Diese Lärchenblüten sind tiefrot, klein und fest zusammengedreht, daß ihnen der rauhe Wind nichts anhaben kann.

Berg — mein Freund! Jetzt wehen deine bleichgoldenen Locken im Wind, und die Ruhe wird immer tiefer. Die Welt versinkt. Kann man sich noch vorstellen, daß es dort unten Haß gibt, Langeweile und das Jagen nach Geld? Böse Leidenschaften? Gram und finstere Regentage?

Alma Holgersen

Die Tiroler Tracht

Die Bauerntracht ist kein einheitliches Gebilde, sie hat ihre eigene z. T. recht wechselvolle und merkwürdige Geschichte, und nicht immer hat dabei die freie Entscheidung des Volkes den Ausschlag gegeben. Auch die Obrigkeit hat sich gelegentlich eingemischt und durch Kleiderordnungen die allgemeine Richtung zu bestimmen oder Auswüchse und übertriebenen Luxus hintanzuhalten versucht.

Die Entwicklung der Volkstracht verlief keineswegs parallel mit jener der Kleidertracht im allgemeinen. Eine große Fülle von Bilddokumenten und zahlreiche urkundliche Hinweise vermitteln uns ein gutes Bild und eine wohlbegründete Vorstellung von der Bauerntracht des 16. und 17. Jahrhunderts, und gar manches Stück, das heute noch getragen wird, weist in das frühe 18. Jahrhundert zurück; für manche Schnittform und manches Detail mag die Herkunft sogar aus dem späten 17. Jahrhundert noch zutreffen. Die große Farbenfreudigkeit aber, die uns aus diesen Bildern entgegenleuchtet und die heute geradezu als ein Charakteristikum der Tiroler Bauerntracht angesehen wird, leitet sich von der Farbenlust der Spätbarockzeit und des Rokokos her. Sie hat ihre Parallele in den buntbemalten Bauernmöbeln, die gerade in Tirol in seltener Schönheit und fein abgestimmter Farbigkeit bis in die Mitte des 19. Jahrhunderts überall im Lande erzeugt wurden.

Während sich die Frauentracht in bezug auf Gesamterscheinung und Charakter eine größere Mannigfaltigkeit in den verschiedenen Landesteilen bewahrte und mehrere Hutformen hervorbrachte, die ja ein ganz besonderes Charakteristikum der Tracht bilden, trat bei der Männertracht der Biedermeierzeit eine gewisse Einheitlichkeit der Erscheinung im ganzen Lande hervor. Das kurze „Jaggerl", die dunkle Tuchjoppe mit Seidenbandeinfassung, Revers und Verschnürung, die geblümte Samt- und Seidenweste in helleren oder dunkleren Farben und Silberknöpfen, die knapp anliegende lederne, manchmal reichbestickte Kniehose, feine Modelstrümpfe und mit Federkiel bestickte Halbschuhe bestimmen nunmehr das trachtliche Bild. Dazu tritt ein kleines rundes Hütchen oder ein niederer, halbhoher weicher Hut aus Hasenhaar mit schwarzen Schnüren und silbernen Quasten. Schließlich sei noch als besonderes Schmuckstück der Männertracht der Schildranzen genannt, ein Ledergürtel mit üppiger Federkielstickerei.

Die Epoche dieser Biedermeiertracht währte bis in die siebziger Jahre des vorigen Jahrhunderts, um dann ganz unmerklich zu erlöschen. Die Frauentracht hingegen hat sich, wenn auch in etwas veränderter Form, in manchen Gegenden als Festtracht bis auf den heutigen Tag erhalten.

Aber noch einmal hatte sich auf dem Lande die ältere farbenfrohe Männertracht zu neuer Blüte erhoben, zwar nicht mehr als bäuerliches Festgewand oder Standeskleid, sondern als Uniform der Musikkapellen und Schützenkompanien, und nur als solche lebte sie noch heute trotz mancher dabei vorgekommener Mißgriffe weiter und verschönert alle Feste in Tirol, seien sie nun vaterländischer oder rein kirchlicher Natur.

Josef Ringler

Durchs Karwendel

Leicht und ohne alle Mühe hat uns die Gondelbahn von Innsbruck auf den First der Nordkette heraufgehoben. Nun stehen wir und schauen stumm hinab ins Tal und weit über die Berge aus. So jäh, daß man beinahe erschrickt, ist die Stadt Innsbruck zu Füßen hingebreitet, weil der Berghang schier ohne Stufung abfällt. Und jenseits schauen über Patscherkofel, Nockspitze und Serles, die unten das Bild der Stadt begrenzten, so viele gewaltigere Kämme und Bergspitzen herein.

Der Stadt waren seit je die Ketten der Karwendelberge wider den kalten Nordwind und gegen so manchen Kriegssturm ein starker Schutz. So anders als dem Süden zu über das Inntal aus, ist der Anblick des grauen Karwendelgebirges, zu dem wir uns nun wenden. Mit Fels und Steinödnis prallt es uns entgegen, läßt den Blick über die nahe Felskante steil hinabstürzen, fängt ihn mit den Graten und Pfeilern, die sich gegen den First der Nordkette stemmen, und läßt den Blick noch einmal in die Tiefe fallen, wo dunkler Hochwald ein wenig heraufspritzt. Der Wald verliert sich aufwärts gleich wieder in trockenes Latschengehäng. Es ist da ein den Bergen zu, in diese grauen Felswände und Steinkare verebbendes Hochtal, durch das kein rauschendes Wasser geht und das keinen grünen Almplan hat, wie er anderswo das Bild so freundlich mildert. Die grauen Gipfelketten und mehr noch die weiten bleichen Schuttkare sind es, die dem Karwendel das Gepräge geben.

Jenseits des Hochtales, das durch einen breiten, karstigen Steinrücken geteilt ist, hebt sich die mächtigste und einsamste der vier aufeinanderfolgenden Karwendelketten empor, die auch den höchsten Gipfel der Gruppe trägt, die 2749 Meter aufragende Birkkarspitze. Einsam und urweltstill, ja, so ist diese schroffe steinerne Karwendelwelt. Sie birgt außer dem kleinen, von Jägern und Holzern bewohnten Hinterriß in seinem nordöstlichsten Winkel keinen Ort, der von Menschen dauernd besiedelt ist. Dem Hirschruf gehört das Karwendel in den dunklen unwegsamen Waldtiefen, den Gemsen gehören die wilden Felskare und Bergflanken. Der Steinadler streicht darüber hin, und wenn der kurze Frühling und Sommer kommt, dann blühen Aurikel, Edelweiß und Edelraute hoch hinauf. Die Natur selbst hat das Karwendel zu jenem Felsengarten gebildet, dem nun menschliches Schutzgesetz billige Erfüllung zollt.

Wir haben uns von der großen Schar der eiligen Fremden fortgewandt, die hier oben dem letzten Teil ihres Besichtigungsprogramms genügen, und nehmen den Weg, der ostwärts in die Berge geht. Nach den nächsten Wegbiegungen schon bleibt all die aufgeregte Wichtigkeit zurück, wir sind allein mit dem Himmel und dem Pfad durchs steile Berggehäng. Der schneidet nah den hier recht zahmen Gipfelhöhen an der Südseite hin und erweckt in uns ein wenig das Gefühl, auf einem steilen Dach zu gehen. Doch bald gewöhnt sich der Blick und vermag für jeden Tritt den Boden festzuhalten, indes er nur noch aus der guten Sicherheit zuweilen hinab- und hinausfliegt übers Tal.

Bald aber klimmt der Pfad zu einer kleinen Scharte auf, um nun auf die andere Kammseite zu leiten. Da spüren wir so recht den eigenen Zauber dieses Ganges

Herbst in der Leutasch. Bereits Maximilian I. hat um 1500 die flachen Gewässer im Leutaschtal für seine Fischjagden bevorzugt. Auch heute gilt der wasserreiche Talboden als Eldorado für Angler.

Autumn in Leutasch. Already Maximilian I favoured the shallow waters of the Leutasch valley for his fishing expeditions. Today the region is still a paradise for anglers.

L'automne dans la Leutasch. Vers 1500, Maximilien Ier appréciait déjà tout particulièrement les eaux de pêche de la vallée de Leutasch. De nos jours encore les nombreux étangs de la Leutasch constituent un véritable paradis pour les pêcheurs à la ligne.

Autunno nella Leutasch. Già Massimiliano I° intorno al 1500 preferiva per la pesca le acque poco profonde della Valle Leutasch. Ancora oggi il fondo valle, ricco di acque, è considerato paradiso dei pescatori.

Ahornboden. Herbstmorgen am Großen Ahornboden, dem schönsten Naturpark im Karwendel mit dem reichsten Ahornbestand der gesamten Alpen. Über 2500 bis zu 20 m hohe Ahornbäume können auf Jahrzehnte und Jahrhunderte zurückblicken.

Ahornboden. Morning mists in the Big Maple Vale, the most beautiful natural park in the Karwendel range. Its maple groves are the most abundant in the entire Alps. More than 2500 trees of at least 70 ft look back on decades and centuries.

Ahornboden. Les brumes d'un matin d'automne flottent sur le Grand Plateau des Erables. Il s'agit ici du plus beau parc naturel du Karwendel, avec la plus grande forêt d'érables de toute les Alpes. On en compte plus de 2500, avec des troncs de 20 m de haut et souvent plusieurs fois centenaires.

Ahornboden. Mattino nebbioso d'autunno nella grande distesa degli aceri (Ahornboden). E' questo il più bel parco nazionale del Karwendel col suo manto di aceri più ricco dell'intera zona alpina. Più di 2500 aceri alti fino a m 20 hanno un'età di vari decenni ed anche di secoli.

zwischen lichter grüner Talweite und herbem Bergraum. An der Nordseite wird der Weg durch steilen Schutt und Felsgeschröff etwas hinabgedrängt, so daß er mit spitzen Kehren dann um so steiler zum Durchlaß der Mannlscharte hinaufsteigen muß. Jenseits geht es tiefer noch in die Arzler Scharte, den direkten Übergang vom Inntal her, hinab. Den Weg zu kürzen, lockt es uns, da und dort über das Geröll hinabzuspringen. Hei, um wieviel schneller geht es da auf den flinken Skihölzern, wenn die erste Frühlingssonne die verharschten Steilflanken in eine firnige Gleitbahn verwandelt hat! Das Karwendel hält für den berggewohnten Skiläufer, der ein wenig ehrliche Müh nicht scheut, der Schnee und Zeit richtig zu deuten weiß, ja auch so manche köstliche Fahrt bereit.

Aber jetzt liegt da kein Schnee, kein letztes Flecklein mehr, jetzt goldet schon der Herbst herein, der dem Wanderer die blauesten und schönsten Bergtage schenkt. Wir schicken durch das Felsentor der Arzler Scharte noch einen Blick nach dem versinkenden Inntal, das von nun ab durch die Mauer der ersten Gipfelkette von uns geschieden ist, und kehren uns in das graue Bergland hinein.

Tiefer noch geht es in das weite Karbecken abwärts. Doch über eine kleine Weile lassen wir den breiteren Weg, der zur nahe gelegenen, nur noch hinter etlichen Hangbuckeln versteckten Pfeishütte führt; wir nehmen den Steig bergauf gegen die oberste große Karmulde hinein, an deren Ende die erste und die zweite Gipfelkette, einander zugewachsen, mit ihren nördlichen und südlichen Gratausläufen sich treffen. Eine felsige tiefe Einschartung, das Stempeljoch, öffnet von unserer Seite des Samertales einen schmalen Übergang in das innerste Halltal.

Der Pfad bringt uns vorerst durch eine weitgedehnte, sanftwellige und nur wenig ansteigende Hochlandschaft, die von der schon tief abgesunkenen Sonne in unserem Rücken, von ihrem milden Herbstlicht, noch mehr in ein weltentrücktes goldenes Friedenstal gewandelt ist.

Um so schroffer fällt dann, als nach ein paar letzten steilen Kehren das Joch erreicht ist, jenseits der Blick tief in das schattendunkle, von jähen Felsstürzen umschlossene Kar. Beinahe glaubt man es nicht, daß man da im gleißenden Frühlingsschein der Bretter oft gewundne Spur hinabgeschwungen hat — tief hinab, bis endlich das Gehäng im Talbeginn sich fängt. „Gemsen!" sagt Hans neben mir, als ich die dunklen, kleinen Gestalten eben auch erspähe. Es ist immer eine rechte Freude, dem scheuen Berggetier zu begegnen, als wäre es ein Stück der Berge selbst, das sich einem schenkt. Wir zählen sie; es ist ein Rudel von zweiunddreißig Tieren — und jetzt, von der Flanke her, in die wir nicht ganz einsehen können, kommen noch zwei, drei. Da geben wir es auf und freuen uns nur noch, daß es so viele sind.

Wir setzen uns zu kurzer Rast und Erquickung an den sonnendurchwärmten Fels. Schade, daß wir dabei die Gemsen nicht mehr sehen, und manchmal steht einer oder der andere auf, um nach ihnen einen Blick zu tun.

Lang haben wir nicht Zeit zu rasten, denn nur allzubald ist solch ein Herbsttag entwichen. Jenseits geht es in die Schattenwelt hinab, zuerst durch eine sehr schmale und plattige Rinne, die nach etwa fünfzig Metern auf eine bessere Steigspur trifft. Die Gemsen haben uns trotz der Entfernung schon gehört und drücken sich still in die Bergflanke fort, von wo sie gekommen sind. Das tut uns leid, denn wir möchten ihre Ruhe nicht stören.

Leutasch im Winter. Der breite, flache Talboden der Leutasch ist durch weitangelegte Langlaufloipen für den Schiwanderer erschlossen und führt ihn vorbei an niederen Bauerngehöften, vorbei an nebelbedeckten Felswänden durchs tiefverschneite Tal.

Leutasch in winter. The wide, flat Leutasch Valley is ideally suited for ski-wandering. Marked tracks lead through the deep snow past outlying farms and along mist-veiled rocky walls.

La Leutasch en hiver. Vallée large et plate, la Leutasch est équipée de nombreuses pistes de fond pour les fervents du ski nordique. Ces pistes passent à proximité de fermes trapues, à côté de parois rocheuses où la brume s'effiloche, dans une pittoresque vallée sous la neige.

Leutasch d'inverno. Il fondo valle della Leutasch, largo e piano, si offre allo sciatore di fondo con le sue lunghe piste facendolo passare attraverso la valle coperta di neve profonda davanti a bassi masi e pareti rocciose avvolte nella nebbia.

Nachdem wir über die nun breitere Geröllhalde ungefähr zweihundert Höhenmeter abgestiegen sind und damit die dräuenden Gipfelwände der Stempeljochspitzen über uns gelassen haben, folgen wir dem kleinen Weglein, das in nordöstlicher Richtung an der steilen, felsdurchwachsenen Flanke des genannten Berges hinquert. Beinahe eben läuft das Weglein hin, und es ist eine rechte Freude, wie es das schroffe Gelände so wacker bezwingt und überlistet. Manchmal scheint es wohl kaum noch auszufinden; aber wir wissen, daß da und dort ein paar Eisenklammern oder ein Stück Drahtseil sichere Hilfe sind.

Immer wieder schauen wir bei dem Gang in den dunklen Felsengrund des Halltales hinab, das sich von Mal zu Mal etwas weiter auftut. Eng und felsbedrängt bleibt der tiefe Grund wohl immer, und es ist kaum ein Plätzlein, das zum Weilen und zum Rasten lädt. Dennoch haben hier innen die Knappen aus Hall im Inntal schon langher nach Salz gegraben. Dennoch stand hier inmitten von wüster Berggefahr und tosenden Lawinenstürzen ein kleines, der heiligen Magdalena geweihtes Nonnenklösterlein, das freilich seit den (besonders bei der Knappenschaft aufbrausenden) Stürmen der Reformationszeit verlassen ist.

Mehr aber noch als der Blick hinab schlägt uns drüben der mächtige, von zwei Felsstöcken gekrönte Bettelwurf in seinen Bann. Unser Steiglein führt ja darauf zu, weil es uns über das Lafatscherjoch, das zwischen Bettelwurf und Kleinem Lafatscher tief eingeschnitten ist, auch über die zweite Karwendelkette bringen soll. Der Bettelwurf ist der Größte in dieser zweiten wilderen Kette und springt mit der ganzen Wucht dieses kahlen Felsgebirgs über Hall an das Inntal vor. So ist der Bettelwurf ein wenig schräg gegen den Westen gestellt und wird zu jenem Berg Nordtirols, an dem sich das Abendglühen am längsten, am farbigsten fängt. Und das zaubrige goldrötliche Leuchten ist um so übermächtiger, als wir selbst schon längst im Schattendunkel sind.

Es hat sich vom Tal her ein leichter Wind erhoben, der von den höchsten Bäumen und aus dem Latschengehölz der Bergflanke ein raunendes Rauschen heraufträgt. Das ist wie eine verlorene, halb vergessene Melodie. — Da lebte einmal zu Absam bei Hall ein Mann, in dem das Melodieren von solcher Macht war, daß er sich hiefür das köstlichste Instrument erschaffen wollte. Es gab damals in deutschen Landen noch keine Geige, und Jakobus Stainer war der erste, dem dies königliche Saitenspiel gelang. Er fand sich selber auch das Holz dazu, indem er aufstieg in die Karwendelberge, wo der klingende Stamm der Haselfichte gedieh. Mit einem silbernen Hämmerlein, so erzählt man, soll er angeschlagen haben, wenn er ein solches gut getrocknetes Holz fand, und legte sein Ohr an den Baum, dessen Stimme zu hören war. Von seinen Geigen rühmt man, daß sie sich mit denen des großen Amati in Cremona messen könnten.

Und als die Sonne gesunken ist, leuchtet noch lang der letzte Widerschein des Tages an dem Berg.

Das Steiglein hat uns nun schon zu dem breiten Serpentinenweg unterhalb des Joches gebracht. Wir folgen den letzten Kehren raschen Fußes und haben bald das Joch erreicht. Der Blick zur dritten und schroffsten Kette tut sich damit auf. Kalkbleich, gleichsam wesenlos, stehen die hohen Bergfirste vor dem Himmel, der dunkler und dunkler sein Blau verliert. Da ist auch schon der erste Stern hervorgesprungen. Ein kühler Wind streicht uns über das Joch entgegen, als käme er von jenen weltfernen Weiten her.

Erst gemächlich, dann steiler bringt uns der Weg über das Berggeröll jenseits hinab. Wie mächtig steht die Nordwand des Kleinen Lafatscher vor dem westlichen Himmel. Näher ragen an der östlichen Begrenzung unseres Weges die riesenhaften Plattentafeln des Bettelwurfmassivs auf.

Da wir an ihren Fuß gelangen, ist indes das letzte schwache Dämmern in die Nacht vergangen. Zauberhaft ist alles in dem kaum spürbaren und traumnahen Licht, das von den Sternen kommt, von so vielen und so klaren Sternen! Die Nähe und die Ferne sind seltsam ineinander vertauscht und verwandelt.

Der Pfad fängt sich nun vor aller steinigen Steile und leitet ruhsam unter der Felswand hinaus. Mit einmal ist die Steinödnis zurückgeblieben, sanfter ist der Boden unter unseren Schritten. Bäume sind jetzt links und rechts, an denen wir nah vorübergehen, und wir atmen ihren harzigen, wohligen Duft. Es gedeiht ein kleiner, aber prächtiger Zirbenstand auf diesem Grund, der mit Recht den Namen Anger — Haller Anger — trägt. Und dort blitzen auch schon die Fenster der Hütte hervor, die dem müden Bergwanderer Herberge gibt.

Doch halten wir noch einmal in der Stille ein. Es ist uns, sosehr uns ein wenig Licht und Wärme nun willkommen sind, dennoch leid, die große einsame Nacht zu lassen. Und wie zu einem Gruß tönt aus der dunklen Taltiefe herauf ein urmächtiger röhrender Laut. Die ganze Urgewalt dieser Berge ist darin. Es ist die Zeit der Hirschbrunft gekommen; sie sind jetzt die Herren in allem Talrevier und bis zu den Wänden auf. Der Stärkste muß der Sieger sein, und wehe dem, der dem breiten Geweih nicht rechtzeitig weichen kann! Und so lassen wir in dem Augenblick, da wir über die Schwelle treten, dennoch ein leises Erschauern hinter uns zurück.

Am nächsten Morgen steigen wir frisch und gestärkt von der Hütte weiter auf zum Überschall. Diesen seltsamen Namen trägt der Übergang, der uns hinter der dritten Karwendelkette wieder in das Inntal hinausleiten soll.

Mit der so heimelig gelegenen Hütte bleibt auch der Baumwuchs zurück. Der Weg steigt nur gemächlich zwischen Alpenrosenstauden und Latschengruppen über muldige Almböden an. Es ist so seltsam und erquicklich, inmitten der grauen Kalkmauern, die sich zu beiden Seiten nah und himmelstürmend aufheben, solche Anmut zu finden. Im Sommer, der erst spät hier heraufzieht, ist da ein überquellendes Blühen und Duften all der köstlichen Bergblumen, ein Jubel, wie er kaum anderswo anzutreffen ist. Davor muß die Blüh der schönsten und gehegtesten Gärten weichen. Nun freilich ist der Sommer vorbei und will der Herbst kommen. Aber auch die leise Schwermut, die mit goldenem Schimmer über die kaum ergrünten Berghöhen hinstreicht, ist schön. Noch einmal triumphieren vor dem Todesweiß die Farben — brokatene und purpurne und goldene Töne, die schon da und dort heimlich beginnen — der Herbst ist wie ein König. Und silbrig glitzt der Tau der Nacht an den Gräsern und Blättlein, als wären Perlen hingestreut.

Langhin dehnt sich der sanfte Boden des Überschalls. Dann aber stürzt das Gelände jählings abwärts und ist, wie nach einem Zauberschlag, die ganze wilde graue Berggewalt wieder da. Der Grund ist gleichsam unter den Füßen weggerissen — tief drunten erst, so tief, daß kaum das geringste Rauschen heraufdringt, ist die Bachschlucht, die wegen ihrer Enge und wegen des Dorfes, bei dem sie ins Inntal mündet, das Vomperloch heißt. Und führt auch an der

Rippe, die sich an dem schroffen südlichen Bergabfall (der Hochkanzel) hält, ein Steiglein steil herab, so ist es doch wie verirrt und gefangen.

Denn was gibt es vor der breiten Nordwand des Bettelwurfs, die so drängend nah in den Grund abstürzt! Wieder und wieder verhält der Fuß und hängt der Blick an ihr, die immer noch höher und bedrängender wächst. Sie macht es offenbar, was es heißt, im Banne einer Wand zu sein. Sie ist ein Gleichnis für alles Bergerleben und Felsenklimmen.

Wir haben uns auf dem einzigen ebeneren Flecklein niedergelassen, das zu finden war und zu dem über die düstere Bergwand her just die erste lichte Wärme der aufsteigenden Sonne kommt. Klein ist der Sitzplatz nur; wir müssen die Schuhabsätze einstemmen, um einigermaßen Halt zu gewinnen. Doch wir achten dessen kaum, wir schauen und schauen. Zug um Zug folgen wir der Wand, durch Schluchtung und Rinne, über Wandstufen, Pfeiler, Kanten weg, an listigen Bändern und Rampen hin, bis sich der Blick in der himmelauf steilenden Mauer verirrt und von den bedrängenden Felsen abstürzt. Wir beginnen den Gang aufs neue. — Das lichtlose Schatten der Wand ist es, das graue felsenkalte Nein, das all unsere Sinne herausfordert. In uns ist nur ein Sehnen, ein Träumen mehr: die dräuend dunkle Wand in der Tiefe hinter uns zurückzulassen, über sie hinauszusteigen in das jubelnd helle Licht.

Ja, so ist es mit der Bergkletterei. Wir spüren sie immer noch im Blut, wenn wir indes auch bedächtig geworden sind. Es ist so schön, daß uns noch die gleiche Sehnsucht im Herzen blüht! — Nein, wir wollen die Wand nicht erklimmen. Wir wissen auch um die harte, todnahe Mühe, die sie kostet, um das eigene Versagen. Da rät die weise Erfahrung, daß man sich im Frieden bescheiden soll.

Aber schauen und wandern, das wollen wir noch allezeit. Das Streifen durch stilles Berggefild, über Jöcher und Gipfel hin, das ist ein gar köstliches Tun. Gerade in einer Zeit so falscher Wertungen, in einer Welt, die ihren Lauf an den rasenden Motoren mißt, vermag das schlichte stille Wandern so manches in uns zurechtzurücken. Es bringt uns einen Teil der schönen Gotteswelt ins Herz.

Wir nehmen das Steiglein wieder unter die Füße und folgen ihm bis in den tiefsten Talgrund hinab. Das Rauschen der Wasser ist nun mächtig geworden. Halb versteckt zwischen den Bäumen tost auch ein Wasserfall. Ein hölzernes, verlassenes Jagdhüttlein steht auf einmal vor uns. Wir halten bei ihm, seine Einsamkeit zu spüren. Wie müßte man hier von aller Welt versunken sein! Müßte ganz den Bergen gehören, die so nah herniederstürzen. Der Bettelwurfwand, die über dem Bachrauschen und über den Baumwipfeln noch ungeheuerlicher aufsteigt. Von ihr ist hier alles Gesetz.

Wir gehen weiter unseren Weg, der in der Enge den Bach begleitet. Die Fichten und Erlensträucher, die ihn überwachsen, wehren oft den Blick hinauf. Vielleicht sind wir in einem innersten Gefühl sogar ein wenig froh darum, weil selbst die stärksten Eindrücke den menschlichen Sinn bald ermüden lassen. Und wir danken dem Geäst den Schatten, den es uns vor der schon heiß gewordenen Sonne spendet.

Der Weg durchs Vomperloch ist lang. Bach und Wald, soweit man bei dem spärlichen Bestand zwischen dem Gewänd von einem Wald reden kann, sind ungebändigt noch und geben damit dem Engtal sein urtümliches Gepräge. Und immer wieder drängen die Berge und Wände herein. Neue Berge, neue Felsgewalt, neue übermächtige Bilder. Wasser springen herab. Wie müßten die erst bei einem Wettersturz toben und tosen und ließen die schmale Welt hier innen beinahe untergehen!

Aber deshalb haben wir ja zu unserem Gang den beginnenden Herbst gewählt, da man dem blauen Himmel des Morgens auch für den Abend trauen kann. Wir freuen uns der Bächlein, wenn sie kommen. Wir suchen uns da und dort sogar eine von den Wannen, die sie mit ihrem dauernden Prall in dem Felsgrund gebildet haben, und nehmen ein rasches Bad. Wie köstlich ist das in dem klaren lebendigen Wasser! Es prickelt noch auf der Haut, wenn uns schon längst wieder die heiße Sonne umfängt.

Dann müssen wir einmal den Bach, der allmählich anwächst, in der Tiefe zurücklassen, wo er sich durch eine Engklamm rauft. An dem Südgehänge führt der Weg ein gutes Stück aufwärts, um dann von der Ostrichtung der Talschlucht nach Norden zu biegen. Da tut sich das Zwerchloch auf, ein Kar, so steinkahl, so steil und hoch hinauf zwischen dem grauen Gewänd, daß man an Dantes Schilderung seines Berges der Verdammnis und der Läuterung denken möchte. Über die 160 Stufen der Katzenleiter klettern wir zum Zwerchloch hinab, steigen jenseits, wenn auch keineswegs so hoch und so steil, wieder aufwärts. Dort haben sich an dem einzigen nicht ganz so steingrauen Zwickel am Ausgang des Zwerchlochs ein paar Bäume angesiedelt, und dazwischen birgt sich ein einsames Jagdhaus.

Weiter geht der Weg durch das großartige wilde Engtal hinaus. Längst haben wir den Blick an allem Berg und Wald, an aller Einsamkeit gesättigt; längst sind uns die Füße davon heiß und müd — wir wandern dennoch rastlos fort. Ein kurzes Weilen würde uns auch gar nichts helfen, ein längeres gönnt uns der schwindende Herbsttag nicht mehr. Es ist beinah, als wollte uns das Karwendel nimmer lassen.

Und als die Felsenwelt und Engnis endlich dennoch hinter uns zurückbleiben muß, als wir aus ihr in das ersehnte Inntal kommen, ist die Sonne auch wirklich schon über die höchsten Berge hinausgestiegen. Aber die Weite des Tales, wie freundlich erscheint sie uns nun! Mit neuen Augen schauen wir das Tal, der Menschen Land, das zwischen sanfteren Bergen sich hinbreitet. Wir grüßen die Wiesen und Äcker, die der Bauern Fleiß bebaut, grüßen die Berggehöfte, die sich an dem jenseitigen milderen Urgebirge bis hoch hinauf angesiedelt haben, grüßen die Dörfer, zu denen sich die Häuser hier und dort gesellig zusammengeschart haben. Und zu Füßen des breiten Kellerjochs steht Schwaz, die alte Silberstadt, die noch heut in ihren engen Gassen, mit den kupfergrünen Türmen die vergangene Zeit so köstlich bewahrt.

Auch zurück schweift unser Gruß. Da hat sich die Felsenenge wieder geschlossen, hat uns wie aus dem Bergschoß entlassen. Aber wir sind dort gewesen, wo das Karwendel am wildesten ist, waren gleichsam in der Werkstatt der Berge zu Gast und tragen die Bilder in uns, die uns immer unvergeßlich sind.

Max Kammerlander

Lärchenwälder im Herbst

Wenn im Spätherbst die Lärchenbäume ihren üppigen Goldschein haben und ihre Flammen weithin aus den dunkleren Fichtenwäldern wehen, dann kommt die Zeit, da das Wandern am schönsten ist.

Die Almen liegen in gilbenden, wogenden Wiesen; die Bäche sind nicht mehr weißschäumend und verwegen; sanft legen sie ihre Schlingen ins aschblonde Gras. Die Hütten stehen in sich verkrochen; ihre kleinen Augen blinzeln abwehrend und verschlafen. Die Einsamkeit, die sie umhüllt, ist nicht streng, eher feierlich, und sie tönt einem himmlisch in den Ohren.

Auch wenn man höher steigt, liegt noch dieser brausende Glanz über allem. Oh, ihr zarten, wehenden Föhnschleier! Prunkendes Gold der Wälder, nun tief unten. Und dennoch ist alles nah, man kann's greifen.

Drei Kinder spielen bei einem Brunnen. Ihre Haarschöpfe flattern ober den matten Wiesen. Müde und schlafsüchtig legt man sich ins trockenraschelnde Gras. Aber man schlummert nicht; man träumt, während die Wolkenschleier ober einem hinwegziehen, in die Wälder sinken, wieder emporsteigen und mit sanfter Gewalt den Himmel umspinnen. Täler versinken in schwere Schatten. Veilchenfarben sind die Mauern der Häuser. Die Erde hat Besitz ergriffen von Tälern und Dörfern, nur hier oben wird alles in feierlicher Seligkeit in den Himmel gezogen.

Alma Holgersen

Dorf im Gebirge

Flaum von grünen Ähren,
blaues Gräserspiel!
Lange muß es währen,
Sonne spendet viel:

Frucht und Korn zur Reife,
Mohn am Ackersaum;
Schwalben ziehn die Schleife
hinterm Ahornbaum.

Lärchenruten wippen,
angstvoll äugt ein Wild:
von den Kalksteinklippen
springt es braun ins Bild.

Schindeldächer ducken
sich ins Apfellaub;
rote Blitze zucken,
knistern in den Staub.

Nebel schatten dichter.
Raunt der Wind im Rohr?
Schwefelgelbe Lichter
flackern übers Moor —

Fahle Neumondraute!
Sichel, schrill am Hang!
Land, das frostbetaute,
atmet Übergang —

Halm, entkeimt der Erde,
weißer Wolken Flug!
Zeichen und Gebärde
sind uns Saat und Pflug.

Anna Maria Achenrainer

Kapelle in Huben. Das Ötztal mit seinen unzähligen Kapellen, deren Schindeldächer oft sogar zwei Glokkendachreiter tragen und an deren schneeweißen Fassaden vom Volk verehrte Gnadenbilder gemalt sind, gehört zu den reizvollsten Erholungsgebieten Tirols.

A chapel in Huben. The Oetz Valley, one of the most charming resort regions in Tyrol, has many little shrines, some of them with two turrets, their immaculately whitewashed façades decorated with pious paintings.

Chapelle à Huben. L'Oetztal est une vallée qui compte parmi les plus belles régions de vacances du Tyrol. Elle possède d'innombrables chapelles aux toits de bardeaux et souvent surmontées de deux clochetons; chaulés de blanc, les murs sont ornés de peintures votives miraculeuses que la population vénère.

Cappella a Huben. La valle Oetz con le sue cappelle innumerevoli i cui tetti coperte di scandole portano talvolta perfino due ceppi di campane. Sulle facciate bianchissime sono dipinte delle immagini miracolose venerate dalla popolazione. E' questa una delle regioni di villeggiatura più attrattive del Tirolo.

Gasthaus im Ötztal. Reich gestaltete, ornamentale und figurale Wandmalereien schmücken die breite Fassade des Gasthauses zum Stern in Ötz. Die Malereien sind wertvolle Zeugnisse später, dekorativer Renaissancekunst im Oberland (1573).

An inn in the Oetz Valley. The broad façade of the Gasthaus Stern in Oetz is richly decorated with ornamental and figurative paintings, valuable specimens of Renaissance art in Western Tyrol (1573).

Auberge dans l'Oetztal. La large façade de l'auberge « Stern » (L'Etoile à Oetz est structurée par de riches peintures murales figuratives et ornementales. Ces peintures constituent un précieux témoignage de l'art décoratif de la Renaissance dans l'Oberland tyrolien (1573).

Trattoria nella valle Oetz. La larga facciata della trattoria « Stella » a Oetz è decorata con pitture murali ricche di ornamenti e di figure. Queste pitture fanno prova dell'arte decorativa del tardo rinascimento nella regione superiore dell'Inntal.

Gasthof
zum

Der Stuibenfall

Bei Umhausen mündet mit dem berühmten Stuibenfall das Hairlachtal, in dem auf grünen Matten das Dörflein Niederthei liegt. Von dort aus gelangt man über die Finstertaler Scharte zu den zwei Finstertaler Seen und nach Kühtai. Thaiga, ein spätlateinisches Wort, heißt Almhütte; Niederthei, anderswo Langesthei oder Niederleger, bedeutet ursprünglich eine Alm, in die man das Vieh frühzeitig auftrieb.

Als der mächtige Eisstrom, aus den weiten Gletscherfeldern von Gurgl und Vent ins Inntal stürzend, das Ötztal immer tiefer aushobelte, vermochten die Wasser der Seitentäler, die bei Längenfeld und Sölden münden, mit ihren kleinen Gletschern damit nicht Schritt zu halten; sie suchten daher den Niveau-Unterschied mit dem tieferen Haupttal dadurch auszugleichen, daß sie Mündungsschluchten auswuschen. Der Gebirgsbach aber, der aus dem Hairlachtal gegen Niederthei fließt, war dafür zu schwach. Da er außerdem an der entscheidenden Stelle das Bachbett wechselte, brach er plötzlich und unvermittelt vor einer jähen, etwa 150 Meter hohen Terrainstufe in die Tiefe.

Es ist ein recht merkwürdiger und eindrucksvoller Gegensatz: Eben noch durchquerten die silbernen Wellen in ruhigem Laufe eine grüne, ebene Wiese, dann verschwinden sie im Walde und schon nach wenigen Metern stürzen sie senkrecht in die Tiefe.

Dort, wo der Wasserfall beginnt, wölbt sich über ihn eine schmale Felsenbrücke. Etwas weiter dahinter, wo eine Wassermühle durchgebrochen ist und die Flut sich nun ebenfalls durch ein Felsenloch durchzwängt, kann man es deutlich sehen, auf welchem Wege diese jetzt so schwindlige Brücke, auf der zum Überfluß ein kahles Bäumchen wurzelt, einst entstanden ist. Unter ihr hindurch erreicht der Bach die senkrechte Wand und braust in geschlossener Masse mit wildem Tosen zur Tiefe. Die Wand geht in einen etwas weniger steilen Hang über, und so prallt das Wasser in straffem Fall auf einer kesselförmig ausgehöhlten Felsenstufe auf. Der Fußsteig, der zur Höhe führt, tritt hier ganz nahe an das Wasser heran, dessen Donnern und Brausen jedes Wort übertönt. So heftig ist der Anprall, daß die zerstäubenden Tropfen wie ein richtiger Nebel bald dahin, bald dorthin wehen und die Büsche und Grashalme weithin mit glitzerndem Silbergeschmeide schmücken. In den Bäumen, vor allem in den Birken, die in der Nähe stehen, lebt ein ständiges Zittern und Schauern.

Den schon erwähnten weniger steilen Hang überwinden die Wellen nicht in freiem Fall, sondern in einer mehrfach gewendeten Rinne. Dann aber brechen sie sich neuerdings an einem Felsenabsatz, werden emporgeworfen und stürzen, in weißschäumendem Gischt aufgelöst, als prächtige Kaskade hoch im Bogen zur Tiefe. Dieses unterste Drittel ist zwar kürzer als das Mittelstück und der oberste Teil, aber die schönste und ausdrucksvollste Partie des im ganzen 150 Meter hohen Falles. Stundenlang könnte man stehen vor dieser strömenden Fülle, die sich aus einer unerschöpflichen Quelle ewig verjüngt und erneuert; ununterbrochen sinken neue Schleier nieder, deren Spitzen und Zacken verschwinden, noch ehe sie den Boden erreichen. Dazu kommt das gewaltige Tosen und der

Wildwasserfahrt im Ötztal. Durch dschungelartige Einsamkeit ziehen die Kanus durchs klare Gebirgswasser über Wasserwirbel — fernab von den lärmlauten Autostraßen — dem Ziel entgegen.

Canoeing in the Oetz Valley. Over the clear waters and through the whirlpools of the mountain stream canoes glide silently, far from the noises of civilization.

Sur un torrent de l'Oetztal. C'est dans une solitude comparable à celle de la jungle que les canoes s'élancent vers le but, sur les eaux claires et bouillonnantes du torrent de montagne — loin du bruit et de l'agitation de la route.

Canottaggio sul torrente nella valle Oetz. Le canoe scendono, traversando zone solitarie come la giungla, sull'acqua limpida di montagna coi suoi numerosi vortici, lontani dalle autostrade rumorose, verso la meta.

Wasserstaub, der silbern aufwirbelt und an dunklen Fichten der gegenüberliegenden Talseite in weißen Schwaden emporsteigt, und zwar so hoch, daß man
ihn draußen vom Haupttale her aus der Waldschlucht gespensterhaft empor-
schweben sieht. Je nach dem Stand der Sonne und des Beschauers immer
wechselnd, leuchten darin die Farben des Regenbogens auf und verklären das
ernste, gewaltige Bild mit einem zarten und ätherischen Farbenschimmer.
Sehr eindrucksvoll sind auch die gewaltigen Felsblöcke, auf die sich der Wasserfall niederstürzt und zwischen denen und über die die Flut gischtend dahin-
braust. Der weitere Bachlauf bietet mit seinem starken Gefälle einen prächtigen
Anblick. Von keinem Uferdamm eingeschlossen, brausen die weißen Wogen
zwischen den Bäumen und Felsblöcken daher und stürzen wie wilde Renner
durch die Waldschlucht, ein unvergleichliches Bild wilder und unwiderstehlicher
Kraft, das ähnlich wie eine heroische Symphonie das Herz in gehobene Stimmung versetzt. Einmal im Jahre mildert die hochdramatische Wucht ein zarter
lyrischer Einschlag: Wenn man dem Stuibenfall im grünen Mai einen Besuch
abstattet, kommt man zurecht, wie nahe dem tosenden Wasser an der grauen
Felswand überall zarte, feurig rote Bergprimeln (Primula viscosa) blühen, die
sonst weit höher im Gebirge zu finden sind.

Josef Weingartner

Wintertag

Die große Mittagstille
über dem Schneeland liegt;
doch wie von silbernen Glocken
Geläute es durchwiegt.

Ein Klingen von Himmel und Erde
tief durch den schimmernden Tag:
wie Gottes Wohlgefallen
und seines Herzens Schlag.

Herr, Deine weißen Winter
vollenden Dein rauschendes Jahr,
künden von neuen Gärten
traumhaft und wunderbar!

Schon über strahlende Berge
Dein Frühlingslächeln sich neigt,
ahnend aus braunen Wäldern
Dein ewiges Ostern steigt.

Hubert Mumelter

Imst und seine Umgebung

Inntalaufwärts weitet sich das Imster Becken rechts gegen das Gurgltal. Es schließt das erst 1898 zur Stadt erhobene Imst ein und verengt sich links vom Tschirgant zu einer kleinen Schlucht.

Landschaftlich spielen in der Gesamtansicht von Imst die umrahmenden Berge eine wichtige Rolle. In einem mächtig ausgreifenden Bogen bilden der Muttekopf, Plattein, die Heiterwand und die Mieminger Gruppe den nördlichen und westlichen Rahmen. Hier ist der Wettersteinkalk mit seinem hellen Gestein und mit den hohen, schroffen Wänden der Gebirgsbildner. Besonders tritt dies an der Heiterwand in Erscheinung; ihre bleichen Felsen stehen zu dem Hauptdolomit der dunklen, brüchigen und stärker bewaldeten Vorberge, der Platteinspitze und dem Rauchberg, in deutlichem Gegensatz. Der breite Rücken des Venet, der im Süden von Zams herunterreicht, liegt im Quarzphyllit; der Pillersattel ist ein Rest des ursprünglichen Inntales, das in gerader Fortsetzung vom Engadin weiterging. Auch die Einrahmung im Osten besteht aus Hauptdolomit; erst die Spitze des Tschirgant ist wieder Wettersteinkalk, der im Ost- und Südabhang bis ins Tal herunterreicht.

Unmittelbar ober der Stadt Imst besitzt die von Gunglgrün bis zur Salvesenschlucht reichende Terrasse mit schönen Wiesen großen landschaftlichen Reiz. Gunglgrün mit seinem hübschen Barockkirchlein und den prächtigen Linden ist ein stimmungsvoller Platz; die wilde Salvesenschlucht mit den spärlichen Ruinen der Burgen Starkenberg und Gebradstein wirkt besonders an der Klammbrücke, die sie überquert, wie ein sehenswertes Naturdenkmal. Man möchte nicht glauben, daß hier die Wiege eines der ersten Edelgeschlechter von Nordtirol, der Herren von Starkenberg, stand, das sich in der schönsten Gegend von Südtirol, bei Meran und Bozen, einen Platz an der Sonne suchte und schließlich sogar mit dem Landesfürsten, dem Herzog Friedrich mit der leeren Tasche, Krieg führte. Imst war in spätgotischer Zeit Sitz einer eigenen Bauhütte, deren Hauptwerk die Pfarrkirche ist. Ihr Chor wurde 1462 von Meister Heinrich begonnen; nach seinem Tod (1475) führte sein Sohn und Nachfolger, Meister Jörg, den Bau weiter. 1493 wurde das vollendete Langhaus geweiht. Die Kirche ist ein mächtiger Bau mit einschiffigem, großem Chor, dreischiffigem Langhaus und seitlichem Spitzturm, der einer der höchsten im Lande ist. Die Außengliederung wird durch Sockel, Kaffgesims unter den hohen Spitzbogenfenstern, Eckstrebepfeiler, Lisenen und durch einen gemalten Maßwerkfries unter dem Dache besorgt. Die stärkste Wirkung übt die Westfassade aus mit den Spitzbogennischen und den Filialtürmchen am Treppengiebel. Das Innere wurde 1780 barockisiert, 1907 bis 1909 regotisiert. Von Meister Jörg stammt auch die schöne zweigeschossige Friedhofkapelle.

Von Profanbauten verdienen der behäbige, 1735 erbaute Pfarrhof, die ehemaligen Edelsitze Rofenstein, heute das Amtsgebäude der Bezirkshauptmannschaft, und Sprengenstein, heute Hotel Post, besondere Beachtung.

Östlich von Imst, am Südfuße des Tschirgant und am Nordfuße des Venet, liegen zwei Mittelgebirge: links die beiden Dörfer Karres — mit einem der schlanksten Kirchtürme des Landes — und Karrösten; rechts Wald und Arzl; letzteres mit den kümmerlichen Spuren einer frühmittelalterlichen Burg, die dem Ort den Namen (arcella) gegeben hat. Die beiden Dörfer flankieren die Mündungsschlucht der Pitze, die hier aus dem Pitztal ins Inntal tritt.

Das Pitztal gehört zu den längsten Seitentälern Tirols; es reicht bis hinein in die Gletscher und bietet so wenig nutzbaren Grund, daß viele Männer als Maurer oder Fellhändler in der Fremde arbeiten. Die größte Ortschaft ist Wenns. Die reiche Fassadenbemalung des sogenannten Platzhauses mit mythologischen und biblischen Szenen und mit der Jahreszahl 1576 ist ein treffliches Beispiel für die auch in anderen Orten des obersten Inntales (z. B. Pfunds, Ladis, Ötz, Habichen) noch erhaltenen Hausbemalungen aus der Renaissancezeit.

Josef Weingartner

Das Rauschen des Inn

Seit einer Woche kommt durch die offenen Fenster das Rauschen des Inn. Bei Nacht ist es ein Ton, als gingen unaufhörliche Regengüsse nieder; sogar den Lärm des Tages durchdringt es als stetes feines Geräusch. Der ganzen Breite nach füllt er sein Bett, und die tieferen Zweige der Uferweiden schleifen im gelbbraunen Gewässer. Ein unaufhaltsames Vorwärts beherrscht ihn, wirft ihn an den Brückenpfeilern hoch, daß er in hohlen Bogen an ihnen hinabrollt, Holztrümmer treiben in der Flut, Fetzen von Heu, da und dort ein Stück bäuerlichen Hausrats. Am Pegel rückt die Merke seines Standes täglich höher.

Denn aus allen Tälern trinkt er sich nun voll, aus jeder Falte des Gebirges schießt ihm das Schmelzwasser zu, und die Güsse der ersten Gewitter schwellen ihn. Weithin drückt er das Grundwasser aus dem Boden, so daß ihn ertrinkende Wiesen wie langgestreckte Teiche begleiten. Er selber ist schwer von Erde, braun und schaumig, kein Brückenbogen, kein Haus am Ufer, kein Stück Himmel spiegelt sich in ihm. Das Bildnis der Landschaft, vor Wochen noch in seinem stillen Fließen farbig festgehalten, hat er zerbrochen und in Wirbeln dahingerissen wie einer, der nur noch sich selber gelten läßt auf der Welt.

Wer ihn so, von einer Brücke aus, hoch und breit daherkommen sieht, den zum Strom erwachsenen Bergbach, erfährt etwas von der gewaltsamen Art unseres Frühlings: wohl stehen nun die Ufer in Blüte, von Baum und Wiese, Garten und Wald kommt der linde Duft des Mai, der sonnenheiße des Juni, aber mitten durch warm atmendes Land kommt ein eiskalter Hauch auf dich zu, ein Strom von Luft über dem Strom von Wasser, und es rührt dich an, als spürest du den Hauch des Todes oder den Gottes.

Da wirst du des Erlebnisses inne, daß Tirol kein Idyll ist, kein Winkel allzu heitern Behagens, sondern ein groß und herrisch gestalteter Raum der Natur, aus Berg, Fluß und Himmel geformt, nüchtern im bedeutsameren Sinne des Wortes, und anmutig nur soweit, als ein Lächeln auch dem Mannsgesicht Anmut zu leihen vermag.

Josef Leitgeb

Schafabtrieb. Die hochgelegenen, kargen Regionen der Ötztaler Alpen werden meist nur von Schafherden bevölkert. Alten Weiderechten zufolge müssen diese oft über Schneehalden ins jenseitige Tal getrieben werden.

Sheep returning from the high pastures. The high, barren regions of the Oetz Valley can be used practically only as sheep pastures. Ancient pasture rights frequently make it necessary to drive the herds over snowfields into the next valley.

La transhumance d'un troupeau de moutons. La plupart du temps, seuls des troupeaux de moutons peuplent les hautes régions arides des Alpes de l'Oetztal. C'est en raison des anciens droits de vaine pâture que les troupeaux doivent souvent franchir des champs de neige pour descendre dans une autre vallée.

Discesa delle pecore. Le regioni elevate delle Alpi Venoste con la loro scarsa vegetazione per lo più sono popolate soltanto da greggi di pecore. Secondo vecchi diritti di pascolo le pecore spesso devono essere condotte attraverso dei ghiacciai o pendii coperti di neve, per raggiungere la valle sull'altro versante.

Imst. Imst ist ein Wirtschafts-, Volkstums- und Fremdenverkehrszentrum des Oberlandes. Die spätgotische Kirche mit dem steilen Stufengiebel und dem Spitzhelmturm ist das bedeutendste Werk der Imster Bauhütte des ausgehenden Mittelalters.

Imst. Imst is a center of commerce, folklore and tourism in the Upper Inn region. The late-Gothic church with its graded gable and pointed steeple is the most outstanding work of the medieval achitects' school in Imst.

Imst. Imst est le centre économique, folklorique et touristique de l'Oberland tyrolien. L'église en Gothique flamboyant, avec un pignon à redents et un clocher surmonté d'un heaume pointu, est le plus remarquable édifice des maîtres d'œuvres d'Imst à la fin du moyen âge.

Imst. Questa città è il centro economico, folcloristico e turistico della regione superiore dell'Inntal. La chiesa nel tardo stile gotico col suo tetto ripido a due spioventi ed il suo campanile a punta è l'opera più importante dell'edilizia di Imst della fine del Medio Evo.

Hie stirbt der Reich ist auß sein pracht Daßer den Armen hatt veracht
Darumb mueß er in die Helle pein O mensch laß dier ain warnung sein

IVDITH. XIII.

Wenns. Ähnlich den mittelalterlichen Freskenzyklen ist hier die Fassade eines Gasthauses in Wenns mit Szenen aus der Genesis und dem Alten Testament bemalt. Diese Malereien sind Ausdruck bäuerlicher „herrschaftlicher" Repräsentation.

Wenns. In the manner of medieval frescoes the façade of this inn is painted with scenes from Genesis and the Old Testament, a testimony to the peasantry's cultural ambitions.

Wenns. Comme les cycles de fresques du moyen âge, la façade d'une auberge de Wenns est ornée de scènes de la Genèse et de l'Ancien Testament. Ces peintures témoignent des goûts « seigneuriaux » des paysans.

Wenns. Simile ai cicli d'affreschi medioevali, qui la facciata di una trattoria di Wenns è ornata di pitture rappresentanti scene della genesi e del Vecchio Testamento. Queste pitture esprimono il bisogno del ceto rurale di coltivare una certa arte « signorile ».

Similaun. Der über 3600 m hohe Similaun zählt zu den schönsten Kletterbergen der Ötztaler Alpen, die seit der Mitte des vorigen Jahrhunderts durch den Gletscherpfarrer Franz Senn (durch den Bau von Schutzhütten) zu einem Zentrum der Alpinistik wurden.

Similaun. The 10.800 ft Similaun peak is popular among climbers as the most beautiful in the Oetztal Alps. The "glacier priest" Franz Senn (who built many refuges) made it a center of Alpine mountaineering.

Similaun. Culminant à plus de 3600 m d'altitude, le Similaun compte parmi les plus belles montagnes d'escalade dans les Alpes de l'Oetztal. C'est grâce à Franz Senn, le prêtre des glaciers, que dès le milieu du 19ème siècle les Alpes de l'Oetztal devinrent un centre d'alpinisme, surtout par la construction de chalets refuges.

Similaun. Questa montagna alta più di m 3600, è una delle più belle montagne per scalatori delle Alpi della valle Oetz. Queste sono diventate dalla metà del secolo scorso un centro per alpinisti grazie al parrocco Franz Senn detto il parrocco dei ghiacciai che vi aveva fatto costruire diversi rifugi.

Was sonst noch gut ist

Kirnig muß er sein, wie die gerade reifen Nußkerne, die Foasten schön weiß und ein bißl ins Rötliche schimmernd, und das Magere blutrot bis ins Bräunliche. Nach Rauch muß er schmecken und ein bißl nach Salpeter, und so zwischen lab und reß, daß man kein Salz dazu braucht, denn das Salz beißt auf der Zunge, nimmt den feinen Gusto, und der Rötel schmeckt auf den hinteren Backenzähnen nimmer vor. Das muß er aber, denn zu einem echten und rechten Tiroler Speck gehört ein Kuiweindl, also eins, das man kuien (kauen) kann. Zuerst also einen Schluck Rötel. Es kann ein Kalterer, St. Paulser, ein Guntschnaer Küchelberger, ein Missianer oder ein Lagreiner sein. Er soll ein bißl ins Bräunliche spielen, wie das Magere beim richtigen Speck. Langsam einschlürfen, recht langsam und zuerst die weißen Grallen im Glas rund um den Wein herum gut anschauen. Die müssen halten, bis ein guter Kuhschluck ausgetrunken ist. Andächtig und mit zugedrückten Augen soll man den Wein ein wenig vorn im Mund halten. Man kann dabei das Gesicht der Sonne zuwenden, daß ein warmer Schein durch die Augendeckel geht. Das ist wie ein „Vergelt's Gott" an die Sonne für den Wein. Dann den Schluck langsam nach „hintri" lassen, wo die „Stockzänd" sind. Dort schmeckt er erst in der Kraft. Vorn schmeckt er mit der Blume. Aber unsere Tiroler Weine haben keine ausgesprochene Blume. Wenn sie gut kellerlen, ist das am besten; nicht nur fasseln. Einen Teroldigo will ich noch hingehen lassen zum Speck, obzwar er schon ein bißl zu nobel ist. Aber beileibe keinen Marzemin. Der ist schon ein „Zuagroaster" und schmeckt besser zur Salami, die auch eine „Zuagroaste" ist. Jetzt ist der Schluck unten, und es geht eine feine Wärme durch den Magen. Vorher hast du das Trumm Speck ordentlich eingeschnitten, und wenn dir St. Urban gut ist, beschert er dir ein echtes, nicht zu hartes und nicht zu weiches Vinschger Breatl dazu, das noch nach dem Backofen riecht, und wobei du die Finger voll Mehl kriegst, wenn du es brichst. Schöne Ranftelen schneiden mit dem Taschenveitl und zuerst den Speck, dann das Brot dem Wein nachschicken. Mein Lieber, ich verzichte auf Diners und Soupers, wenn ich das haben kann und dabei in einem Wirtsgarten oder vor einem Bauernhof unter dem Nußbaum sitzen kann, neben dem der Brunnen rauscht!

Man kann den Speck auch zu einem Kreßwasserl essen. Was ein Kreßwasserl ist? Rar ist es vor allem. Gewöhnlich trifft man auf so ein Wasserl oder Brünndl hoch oben im Gebirg und geht am besten den hölzernen Wasserröhren nach, bis sie aufhören. Dann steht man gewöhnlich in einer Talfalte drinnen, wo es auch im Hochsommer kühl hergeht und wo viel grünes Kraut, Lattich, Minze und andere Stauden wachsen. Rechts und links des Tales steht der Wald meist noch dunkel, und da scheint am frühen Morgen die Sonne wie eine goldene Monstranz durch die Säulen. Da ist dann in einem schmalen Bachrunst mit viel glimmrigem Gestein ein einfaches Wasserschloß, das die Bauern sich zimmern. Ein hölzernes Trüchl, in die Erde eingelassen, mit einem Schloß gesperrt. Oftmals fehlt das Schloß, und da ist es ein wunderbarer Augenblick, den Deckel aufzuheben. Eiskalt geht es aus dem Kotterle, und das Wasser brennt, wenn man die Hand hineinsteckt, so kalt und dicht ist es. Wie Silber funkeln die Grallen an den Wänden, und ein Gesicht schaut dir wie verzaubert entgegen. Die Bäume spiegeln sich und der blaue Himmel, und ein weißes Wölklein zieht über den Grund des Trüchls. Haarscharf ist das Bild auf dem dunklen Grund, daß du über dein Gesicht ins Staunen kommst; so mitten im Wald, hoch über der Menschenwelt, begegnest du dir selber. Das Wasser gluckst bei der oberen Schmalseite herein, und in der gegenüberliegenden Wand ist der dunkle Schacht, wo die Röhre anhebt und in einem kleinen silbernen Strudel das Bergwasser einschluckt. Gestern abend bist du neben dem Brunnen drunten vor dem Bauernhof gehockt, hast ihm rauschen zugehorcht, und die Sterne sind über den großen Trog gewandert, daraus das Vieh trank.

Ich habe immer mit einem leichten Schauer die Kotterlen im Hochwald droben wieder zugemacht, als wäre ich vorwitzig gewesen. Das Überwasser rinnt aus einer kleinen Rinne ab. Auf sonnseitigen Lehnen, wo das Wasser kostbarer ist, ist diese Rinne mit einem hölzernen Spund geschlossen. Daneben liegt ein hölzerner Schlegel. Wer durstig ist, mag trinken, aber hernach wieder zuspunden. So meint es der Bauer, und sein Vertrauen wird nie getäuscht. Die Gottesgabe Wasser ist heilig. Hier nun, um das Trüchel, der Rinne entlang und ober dem Wasserfang, wächst die Brunnenkresse. Scharf beizt sie dir die Zunge; wenn du eine Handvoll gegessen hast, ist dein Magen warm wie nach einem guten Schnaps. Was glaubst du, wie der Speck jetzt schmeckt, weil der Magen nach diesem blinden Lärm überaus lebendig ist? Das Wasser hat einen Geschmack und eine Kirnigkeit wie das Weiße des Specks. Da sitzest du, und um dich steht der Wald stumm und duldet dich. Weil die Sonne höher steigt, fängt er zu duften an.

Josef Wenter

Paurnhänte

Schwaare liign
afan Stüele
in dr Kirchen
Paurnhänte.

Inanondr
gleim gepuntn,
klumm beinondr:
Paurnhänte.

Zehn Fingr,
völl mit Odrn
und mit Schrunten,
Gliidr herchte,
oogewetzet,
dicke, stumpat:
Paurnhänte.

Schwaare rölln
Grollen
hilzan
durch die Hänte.

Is leit
a Donkn
und a Pittn
in den
gleimen
Paurnhäntnen.

Hans Haid

inanondr = ineinander   Odrn = Adern
Schrunten = rissige Hände
herchte = harte   rölln = rollen
Grollen = Grallen, Perlen, z. B. eines
Rosenkranzes
is leit = es liegt   donkn = danken
gleimen = festen

Stift Stams

Das Stift Stams steht in enger Beziehung zur Geschichte der Hohenstaufen, die übrigens auch vorher schon als Grundherren und Reichslehensträger im Oberinntal eine Rolle spielten. Das Stift selber wurde nach dem tragischen Tode des letzten Sprosses dieses gewaltigen Herrschergeschlechtes, des jungen Konradin, von seiner Mutter Elisabeth, die nach dem Tode ihres ersten Gemahls Kaiser Konrad IV., in zweiter Ehe Meinrad II. von Tirol geheiratet hatte, zur Erinnerung an ihren unglücklichen Sohn gegründet und 1273 mit den ersten Mönchen besetzt.

Schon 1284 konnte man die neue Stiftskirche weihen, einen langgestreckten, dreischiffigen Bau mit fünf Apsiden, von denen die drei mittleren den barocken Umbau (1729 bis 1732) überdauert haben. Die Kirche, die längste Tirols, wurde damals im barocken Zeitgeschmack mit Deckenbildern, Stukkaturen und neuen Altären reich geschmückt. Auch die Fürstengruft — in Stams wurden nämlich seit Meinhard II. fast alle tirolischen Landesfürsten beigesetzt — war schon 1670 bis 1681 vollständig erneuert worden, desgleichen vorher der ganz besonders originelle Hochaltar.

Das Äußere des Stiftes verdankt seine heutige Gestalt einem gründlichen Umbau, der 1696 bis 1720 nach den Plänen von Johann Martin Gumpp ausgeführt worden ist. Er erhält seinen Charakter durch die beiden mächtigen Kuppeltürme an der Nordseite und durch die beiden schönen und bewegten Giebel an der Westfront, welche die Stiftskirche und außerdem den schön ausgemalten Festsaal, den Bernhardisaal, bedeutungsvoll hervorheben.

Für die Kultivierung des Oberinntales hat Stams sehr viel geleistet, wofür auch die Stiftspfarren Stams, Seefeld, Obsteig, Sautens und Huben im Ötztal und die Stiftsalpe im hintersten Sellrain sprechende Beweise sind. Wegen der engen Verbindung des Stiftes mit den Landesfürsten haben auch seine Äbte als landesfürstliche Räte vielfach eine bedeutende Rolle gespielt.

Josef Weingartner

Verklärter Herbst

Gewaltig endet so das Jahr
Mit goldnem Wein und Frucht der
    Gärten.
Rund schweigen Wälder wunderbar
Und sind des Einsamen Gefährten.

Da sagt der Landmann: Es ist gut.
Ihr Abendglocken lang und leise
Gebt noch zum Ende frohen Mut.
Ein Vogelzug grüßt auf der Reise.

Es ist der Liebe milde Zeit.
Im Kahn den blauen Fluß hinunter
Wie schön sich Bild an Bildchen
    reiht —
Das geht in Ruh und Schweigen
    unter.

Georg Trakl

Erlebnis der Berglandschaft

Wanderer, hörst du die Melodie der Bäche, die über die Felsen nieder-
schleiern? Die aus dem Herzen der Berge kommen und dich in verwegener
Heiterkeit umbrausen!

Du gehst an dem Ufer eines Baches; der blaugrüne Grund dämmert zwischen
den Steinen, die Forellen schießen dahin, wilde, graue Schatten. Das Wasser
brennt zwischen dem Goldgrün der Wiesen in blühender, fleckenloser Weiße.
Oh, die beruhigende Milde der Wasser, die in ihrer grandiosen Bewegtheit doch
ohne Hast sind — was könnte uns besser trösten, tiefer das Bild des Unver-
gänglichen ins Herz prägen als die strömenden Gebirgsbäche, dieser Glanz,
der die Himmel stürmt und ewige Weite spiegelt! Es liegt die erhabene Ruhe
Virgilscher Verse über den ausgebreiteten Matten, über dem kleinen Hirten,
über den Lämmern, die sich um den klaren Bach drängen. Lieblich-feierliche
Rhythmen ertönen voll gelassener, weltferner Verschwiegenheit, und sie wecken
die Sehnsucht nach ewiger Freude. Bergbach, der die schneehelle Wolle der
jungen Lämmer spiegelt! Die Ströme rauschen in erhabener Großartigkeit, du
aber, beschwichtigender Wohllaut, du bist das verborgene Lächeln, wenn auch
die Erde in dunklen Schmerzen, in blutrotem Haß zittert.

Die Hänge der Gebirge verwehen in den Himmel, sie sind nicht Fels und Erde,
sondern sehnsüchtige Ferne, von fliegenden, grünen Nebelschleiern bedeckt.
Die Stille summt, sie schließt dich ein, die Silbersonne scheint im Silberhimmel
zu zerrinnen. Nichts vergeht! Alles kann man halten und bergen. Durch den
alten, milden Schnee brechen sich die Wasser Bahn, sie bilden glänzende Hügel.
Sonnenrot, violett und goldfarben glänzt das Holz der alten Bauernhöfe. Sie
stehen da, als hätten sie tiefreichende Wurzeln in der Erde, nach hinten gelehnt
stehen sie, und im Sommer schäumt das aufrührerische Rot der Pelargonien
und Hängenelken übers Holz.

Hirtenpfade führen in spielerischer Fröhlichkeit aufwärts in die welligen
Bergwiesen, in diese Schalen voll üppigem Grün. Und hier sind die Nester der
Almen. Und auch da wehen die weißen Schleier der Bergbäche — irdisches Wort
des Ewigen — das wach macht und bereit, das in den Untiefen neue Worte
weckt. Wie ist die Stille des Mittags doch ohne Wirklichkeit! Geheimnisse ver-
dichten sich unter den alten, breitwipfligen Zirbenbäumen, die in weltferner
Erstarrtheit stehen, die riesigen, die mit siebzig Jahren das erstemal blühen!

Trittst du in so eine Almhütte, so kann's sein, daß der Senner gar nicht anwe-
send ist. Du weißt plötzlich, was Gelassenheit und Warten bedeuten. Die Balken
gleißen von Schwärze, das dunkle Kreuz taucht tief in die Finsternis. Helle und
sandfarbene Felle sind über das Lager gebreitet, und ein rauher Janker hängt an
der Wand.

In immerwährender Bewegung scheinen die Gletscher zu sein mit ihren schillernden Graten, die aufspritzen in die Himmel und eintauchen in die Geheimnisse des Unnennbaren. Könnte man alles in sich bewahren! Die Seele füllen mit
Silberblau und weißer Klarheit. Könnte man ruhen und warten, außerhalb des
begehrenden Ichs!

Alma Holgersen

Fiß. Zu den wenigen Erholungsdör-
fern mit bäuerlichem Charakter gehört Fiß am Serfauser Plateau, dessen alter Ortskern mit Holzbalken-
häusern und blumengeschmückten
weißgetünchten Fassaden zum Besuch
einlädt.

Fiss. One of the few truly rural
resort villages, Fiss on the Serfaus
Plateau has many old timbered houses
on whose balconies flowering plants
abound.

Fiss. Sur le plateau de Serfaus, Fiss
est un des rares villages de vacances
à caractère purement rural. Avec ses
maisons aux poutres de bois et aux
façades fleuries et chaulées de blanc,
le vieux centre du village vaut la
peine d'une visite.

Fiss. Questo luogo sull'altopiano di
Serfaus è uno dei pochi villaggi di
ricreazione a carattere perfettamente
rustico. Il suo vecchio centro con le
case fatte in travi di legno e con le
facciate bianche ornate di fiori, invita
ad una visita.

Erker in Kauns. Szenen aus dem
bäuerlichen Leben, religiöse Darstellungen und dekorative Ornamentik
zieren den gemauerten Erker und sind
Zeugnisse eines wohlhabenden Bauern-
standes in vergangenen Jahrhunderten.

A Bay Window in Kauns. Scenes from
the peasants' life, religious represen-
tations and decorative ornaments
cover the walls of the alcove, evidence
of a wealthy peasantry in past centuries.

Encorbellement à Kauns. Des scènes
de la vie paysanne, des motifs reli-
gieux et des éléments décoratifs or-
nent les encorbellements et témoignent
d'une paysannerie cossue durant les
siècles précédents.

Sporto a Kauns. Scene della vita in
campagna, rappresentazioni di carattere religioso ed ornamentazioni deco-
rano lo sporto in muratura facendo
prova della prosperità del ceto rurale
nel secolo scorso.

Land am Arlberg   Im obersten Inntal

Vom Reschenscheideck herunter kommt der Wind frisch, und hinter Nauders steift er sich. Er muß durch einen engen Schlauch. Aber die Rinne, durch die der Inn vom Engadin herein ins heilige Land braust, die ist noch enger.

Ich wende mich um. Schloß Naudersberg und der heilige Baum auf der uralten Thingstätte unserer Väter stehen im Frühlicht. Grüne Matten allenthalb, Almenzauber über ihnen, denn wir sind dreizehnhundertvierundsechzig Meter überm Meer. Auf der Schattseite stehen die Berge finster, sonnseitig nicht viel heller. Die Fluchtwand, der Labaunkopf, der Munt, Stables, Pizlat. Fremdartige Namen, romanischer Klang, vielleicht keltischen Ursprungs. Die Menschen sind still, in sich gekehrt, hoch und schlank. Die ernsthaften Gesichter, als blickten sie aus lange vergangener Zeit. Wenn meine Großmutter mich anschaute, war's mir, als hätte ich ein schlechtes Gewissen, und wußte nicht weshalb. Vielleicht, daß eine unverdorbenere Zeit aus ihrem Antlitz Gericht hielt über die Zeit der Enkel. Wenn sie „Guten Morgen" sagte, klang dies: „Guet Mörget". Wenn man sich, selten einmal, den Mut nahm, zu fragen, wie es ihr gehe, sagte sie: „Es wird alle Tage Abend". Und der Großvater, der in Pians bei Landeck Haus und Hof und Vieh und Pferde hatte, hieß durchs Oberland Toneles Luis, weil sein Vater Anton geheißen hatte.

Ich habe die Klause von Finstermünz durchwandert. Tief unten in seiner Erosionsfurche rauscht der Inn, schäumt weiß unter der Brücke Altfinstermünz, in deren Mitte der finstere Wachtturm steht, schwarz und feucht von immer stäubendem Gischt. Dann tut das Tal sich auf. Freundliche Gesichte: Ried, und ein wenig weiter Prutz. Im Gefolge dieser Namen höre ich: Verpeil, Gepatsch, Wildspitze, Weißkugel, die erhabenen Gletscher der Ötztaler Alpen. Ein anderer Name noch hat hier Klang und hat seit mehr als zwei Jahrhunderten nichts von seinem Ruhm verloren: Pontlatz! Am ersten Juli siebzehnhundertunddrei donnerten die Steinlawinen der Tiroler auf die anmarschierenden Bayern nieder. Das Schnellfeuer aus den Bauernstutzen war wohlgezielt. Was nicht erschlagen ward, nicht fiel, nicht im Inn ertrank, wurde vor Landeck gefangen. Nicht ein Mann entkam den Bauern, um dem Kurfürsten zu melden, wie Tirol sich wehrte. In sechs Wochen war der „bayrische Rummel" beendet. Hoch über dem linken Innufer liegt das Schwefelbad Obladis. Ich habe schöne Sommertage dort erlebt. Unvergeßlich ist der Weg über die Almen nach Fiß und Serfaus. Fast ungläubig stand ich vor der St.-Jörgen-Kirche, an deren Chorbogen die Jahreszahl 804 zu lesen ist. Weithin geht der Blick. Abendwärts liegt das Paznauntal. In See konnte man sich die Forellen im Kalter aussuchen, ehe sie gesotten wurden. Nicht weit vom Kalter braust die Trisanna. Springlebendig also sind die Forellen und mit schönen Regenbogen geziert. Da liegt im tieferen Tal ein Weiler. Nur ein paar Häuser. Traumeskinder heißt er, und man findet den seltsamen Namen nur auf der Generalstabskarte. Mir ist er um seines Klanges willen wert, obwohl wahrscheinlich aus einer Wortverstümmelung entstanden; aber auch, weil Vorfahren von mir dort hausten, als sie über das Zeinisjoch vom Montafon herübergewandert waren.

Josef Wenter

Kindersommer in Pettneu

Wir lebten zwei Sommer unserer frühen Kindheit in Pettneu am Arlberg. Die Eltern brachten uns hin — eine endlose, wie aus dem Leben ganz hinausführende Reise —, am nächsten Tag kehrten sie nach Innsbruck zurück.

Welch ein Reich des Abenteuers schon von der kleinen Haltestelle bis ins Dorf, bis zum Haus des Vetters! Da war die Schellenschmiede, die Verwandte betrieben; die finstere Werkstatt, aus der das Feuer leuchtete, höllenhaft am hellichten Tag; das Gepumper des Hammers, den das Mühlrad hob und fallen ließ. Dann die Dorfstraße, durch die man am ersten Tag scheu wie ein Ertappter schlich, und froh, wenn man an allen vorbeikam, ohne angesprochen zu werden. Der scharfe Geruch der Lohe, die vor dem Haus des Gerbers zum Trocknen gebreitet lag, und endlich das Haus des Vetters selbst mit dem neuen, hölzernen Anbau für die ersten Fremden, die es damals nach Pettneu verschlug.

Schon im Flur roch es so unsäglich nach Ferien, daß ich noch heute bloß die Nase durch eine Bauernhaustür zu stecken brauche, um alles wiederzuhaben, was die acht Seligkeiten eines Buben ausmacht: in der Stube der ausgestopfte Sperber, für uns war es ein junger Adler, zwischen den Fenstern mit Fuchsien und Nelkenstöcken der blanke Scheibenstutzen und das goldene Flügelhorn, hinter einem Riemen an der Wand die unheimlich scharf geschliffenen Messer, mit denen der Vetter die Säue abstach, über dem Tisch in der Ecke der Heilige Geist, an einer Harfensaite aufgehängt — sah er zum Ofen hinüber, wurde das Wetter schlecht, und es nützte nichts, ihn gegen das Fenster zu drehen, er kreiste langsam wieder zurück, eigensinnig, fast lächelnd vor Besserwissen. Im Stadel die Sparren und Pfosten des Gebälks, ein Kletterreich ohne Grenzen, und tief drunten die Heustöcke, die jeden Sprung wie Federbetten auffingen. Alles gehörte uns: die Küche, der Stall, der Garten, und man nahm uns mit in die Bergmähder hinauf, wo die Bauern das Heu, in große Plachen gehäuft, bis zur nächsten Pille trugen. Hunderte solcher Pillen — kleine Scheunen aus sonnverbranntem Lärchenholz — standen über die steilen Bergwiesen gestreut. Sie hatten keine Tür; knapp unterm Dach war ein viereckiges Loch freigelassen, durch das gerade eine Gabelvoll Heu hing. Wir Buben standen drin, es entgegenzunehmen und bloßfüßig festzutreten. Die Luft war erfüllt von Staub und Hitze, dem kratzenden Geruch der verdorrten Kräuter; und wenn die Pille fast voll war, glaubten wir ersticken zu müssen, sooft eine neue Gabelvoll das Loch durchfuhr und uns Tag und Atem nahm.

Oder wir stiegen in aller Früh, wenn noch der Schatten des Berges im Tal lag, mit den Schmiedtöchtern die Wiesen hinan, ein Stück weit durch niedrigen, armseligen Bauernwald, über die freien Almen hinaus in die Moosbeerhänge. Wir hätten nie mehr heimgefunden, so groß und fremd und verzaubert lagen die Plätze in der sengenden Sonne. Die Gratsche schrie irgendwo, kleine blaue Falter durchflockten das heiße Licht, unsere Hände wühlten im warmen Kraut, durch das die Mädchen die hölzernen Klaubkämme zogen. Unsere Gesichter wurden blau verschmiert vom Saft der Beeren, unsere kleinen Leiber trunken von der Glut des Sommertags.

Dann konnte es geschehen, daß in wenigen Minuten alles erlosch, vom Kaiserjoch her zog grauschwarzes Gewölk, wir packten die Kandeln und Körbe und rannten heim. Die Bäuerin zündete das Herdfeuer an und warf geweihtes Kraut in die Flammen, bei jedem Blitzstrahl schlug sie das Kreuz. Wir hockten eng aneinandergerückt auf der Milchbank und fürchteten uns. Denn ohne Aufhören ging der Donner über das Tal hin, rollte die Berge entlang, kam anschwellend zurück und gab nicht Ruhe, bis sich die Güsse verdoppelten und der Hagel wie weißes Feuer über die Felder hinschlug.

Einmal schien es kein Ende zu nehmen, und wir lagen längst in den Betten, während das Wetter noch immer talaus, talein fuhr, knurrend wie ein böser Hund, der sich entfernt und im Kreise wieder zurückkommt, von niemandem zu verscheuchen. Da läutete plötzlich die Kirchenglocke — nie mehr habe ich ein so atemloses Läuten gehört wie in jener Nacht. In der Stube fanden wir alle beieinander, den Vetter und die Knechte in hohen Stiefeln, die Bäurin schnitt Speck und Brot und füllte die Flasche mit Getränk. Der Vetter warf die große Axt über die Schulter, die Knechte hatten lange Stangen mit eisernen Haken in den Händen, sie tauchten der Reih' nach die Finger in den Weihbrunn neben der Tür, sagten: „In Gottes Namen" und gingen.

Am nächsten Morgen waren sie noch immer nicht da, und wir durften hinüber zu ihnen nach Schnann, ins Nachbardorf. Da sahen wir sie im Bach stehen, der wie ein brauner Strom den Berg herabkam. Er brach oberhalb des Dorfes aus einer Schlucht hervor, und das war, als spie ihn ein schwarzer Schlund aus. Auf seinem Grunde donnerten die Steine, Bäume trug er daher, die Wurzelbüsche wie finsteres Haar gesträubt. Wir jauchzten auf, als eine Bettstatt daherschoß, ein Spinnrad, ein Melkkübel. Die Männer rissen mit den hakigen Stangen ans Ufer, was sie erreichen konnten, sie schütteten Steinwehren auf, schlichteten Bauholz, standen im Wasser, schwankten, schrien und fluchten. Durchs Dorf herab lag mannshoch der Schotter.

Dann war einmal ein Samstag, an dem uns der Schmied mitnahm. Tiefer im Tal drinnen hatte er auf einer Blöße seinen Kohlenhaufen. Mit einer langen Stange stieß er Löcher in den qualmenden Hügel, und nun stieg der Rauch in vielen blauen Säulen aus ihm auf mit einem Geruch von Holz, Feuer und Essig. Die Stille ringsum war voller Geheimnis, der Schmied war uns plötzlich zum Fürchten fremd, um den Kohlenhaufen schwelte es geisterhaft.

Abends saßen wir lange auf der Bank vor dem Haus, die Wände der Eisenspitze waren noch voll warmem Licht, aber vom Riffler kam der kalte Hauch herab wie jeden Abend und Morgen, ein Stern stand eisgrün über dem Gipfel, das Tal nachtete langsam zu, die Glocke läutete dreimal den Englischen Gruß und — da stand plötzlich der Vater vor uns, um uns heimzuholen. Wir verstanden seine Mundart nicht mehr, und er lachte, weil auch er die unsere nicht verstand; der Sommer war so lang gewesen wie ein ganzes Leben.   Josef Leitgeb

Das Stanzertal

In alter Zeit war das Hospiz in St. Christoph am Arlberg der Knotenpunkt für den gesamten Verkehr, der Tirol mit Vorarlberg verband. Heute umgeben eine Reihe von Hotels die Scheitelhöhe der Arlbergstraße, und Sessellifte führen ringsum auf die Höhen. St. Anton ist heute als Sommerfrische und auch als Wintersportzentrale einer der blühendsten Orte in Tirol. Die schlichte Holzkirche wurde von dem bekannten Architekten Clemens Holzmeister vergrößert und mit einem zweiten Turm versehen. Schöne Gasthöfe und Sportgeschäfte geben dem vor ein paar Jahrzehnten noch unscheinbaren Orte ein mondänes Gepräge.

Der seinerzeit politische Schwerpunkt der ganzen Gegend, die Burg Arlen, ist längst verschwunden. Sie gehörte den Rittern von Schrofenstein, deren Stammburg draußen bei Stanz steht; da früher das ganze Tal vom Arlberg bis Landeck einen einzigen Pfarrsprengel und eine einzige Markgenossenschaft bildete, wurde es nach dem Hauptsitz der Herrschaft Stanzertal genannt, ein Name, der heute nicht ohne weiteres verstanden wird. Von der Burg Arlen selbst, die dem Paßübergang und dem westlich davon gelegenen Lande den Namen gab, ist heute zwischen St. Anton und St. Jakob, im Weiler Nasserein, am nördlichen Bergeshang nur mehr ein kümmerlicher Rest erhalten; die regelmäßig geschichteten Steine bezeugen das hohe, ins 12. Jahrhundert zurückreichende Alter der Ruine.

Die Nordseite des Stanzertals bilden die Nördlichen Kalkalpen, während an der Südseite hinter einer Zone von Quarzphyllit, die bei Landeck am langen Kamm des Venetberges ihre stärkste Ausbildung erreicht, das Silvretta- und dann das Ötztaler Kristallin die Herrschaft übernimmt. Die Nordflanke, aus dem grauen und vielfach düsteren Hauptdolomit gebildet, weist bis Imst hinab mehrere Übergänge auf. Jenseits des Kammes führen sie zunächst in eine rauhe, nur von etlichen Schutzhütten belebte Gebirgsgegend und zu interessanten Höhenwegen, unter ihnen der besonders lohnende Augsburger Höhenweg (von der Ansbacher bis zur Augsburger Hütte).

Die höchste Erhebung ist hier der Parseier mit 3040 m, zugleich die höchste mit einem kleinen Gletscher versehene Spitze der Nördlichen Kalkalpen.

Auf der Südseite des Stanzertales liegt hinter St. Anton die Verwallgruppe mit dem kühngeformten und schwierigen Patteriol (3059 m); weiter östlich der Hohe Riffler (3160 m) mit schöner Aussicht und leicht zu besteigendem Gletscher.

Zwischen St. Anton und Landeck liegen die Dörfer St. Jakob, Pettneu, Flirsch, Schnann, Strengen und Pians; bei diesem mündet südlich das Paznauntal, dessen schluchtartigen Ausgang die 82 m hohe und 225 m lange Trisanna-Bahnbrücke überquert. Das Paznauntal selber, im vorderen Teil mit den Dörfern See, Langesthei, Kappl und Ischgl, ist ein freundliches Gebirgstal, das sich im Hintergrund, von Galtür an grandios entfaltend, in die eisgepanzerte Silvrettagruppe ausbreitet. Über das Zeinisjoch führt ein bequemer Übergang ins

Pettneu. Vor der Kulisse des eisbedeckten Hohen Rifflers (3168 m) liegt das Dorf Pettneu im Stanzertal mit der gotischen, innen barockisierten Pfarrkirche. Durch das Malfontal führt ein Saumweg hinüber nach Kappl im Paznauntal.

Pettneu. In the Stanzertal at the foot of the ice-covered Hohe Riffler (9500 ft) lies the village of Pettneu. The interior of the Gothic church was later baroquized. A narrow path leads through the Malfontal to Kappl in the Paznaun valley.

Pettneu. Le village de Pettneu, dans la vallée de Stanz, se trouve au pied des gigantesques coulisses que forment les crêtes neigeuses du Hohen Riffler (3168 m). L'intérieur de l'église paroissiale gothique est remanié en style baroque. Un étroit sentier suit la vallée de Malfon et mène à Kappl, dans la vallée de Paznaun.

Pettneu. Davanti al retroscena dell'Hoher Riffler (m 3168) coperto di ghiaccio, si trova il villaggio di Pettneu nello Stanzertal con la sua chiesa parrocchiale gotica, il cui interno è in stile tendente al barocco. Attraverso il Malfontal si arriva su una mulatteria a Kappl nel Paznauntal.

Silvretta. Am Dreiländereck zwischen Tirol, Vorarlberg und der Schweiz tauchen nur vereinzelt die Dreitausender aus dem dichten Nebelmeer. Mitten in diese herrliche Alpenwelt führt heute die Silvretta-Hochalpenstraße.

Silvretta. Where three countries meet — Tyrol, Vorarlberg and Switzerland — only a few of the highest peaks rise above the clouds. The Silvretta Highway runs through this magnificent Alpine scenery.

Silvretta. Aux confins de trois pays, entre le Tyrol, le Vorarlberg et la Suisse, seuls quelques sommets isolés dépassant 3000 m sortent d'une mer de nuages. La route automobile de la Silvretta mène au milieu de ce magnifique univers alpin.

Silvretta. In questo triangolo formato dal Tirolo, il Vorarlberg e la Svizzera emergono sporadicamente dal fitto mare di nebbie le cime alte tremila metri. Oggi la strada di alta montagna della Silvretta conduce in mezzo a questo magnifico paesaggio alpino.

Valluga-Abfahrt. Das Arlbergmassiv bietet Gewähr für abwechslungsreichen Schiurlaub und zählt — durch unzählige Seilbahnen, Lifte und Schiabfahrten erschlossen — zu den großen und international bekannten Wintersportzentren Europas.

The Valluga Piste. The Arlberg massif is ideally suited for skiing. Countless cable railways, ski-lifts and runs have made it an internationally renowned wintersports center.

Descente de la Valluga. Le massif de l'Arlberg offre toutes les garanties pour de parfaites vacances aux sports d'hiver. Equipé d'innombrables téléphériques, de téléskis et de pistes de descente, il compte parmi les plus grands centres internationaux de sports d'hiver en Europe.

Discesa di sci della Valluga. Il massiccio dell'Arlberg garantisce delle vacanze di sci ricche di varietà. Esso fa parte, con le sue numerose teleferiche, sciovie e discese, dei grandi centri sportivi europei di fama internazionale.

Finstermünz. Bereits 1348 führte eine Brücke über die wilden Wasser des Inn, die hier das schweizerische Engadin verlassen. Mit Burg, Kapelle und Zollbrückenturm ist Finstermünz auch heute noch einer der romantischsten Plätze Tirols.

Finstermuenz. As early as 1348 a bridge crossed here the torrential waters of the Inn which at this point leaves the Swiss Engadin. With its castle, chapel, and ancient customs house at the bridgehead, Finstermuenz is today still one of the most romantic places in Tyrol.

Finstermuenz. C'est dès 1348 qu'un pont franchit les eaux tumultueuses de l'Inn venant de l'Engadine suisse. Avec son château fort, sa chapelle et la tour de l'octroi sur le pont, Finstermuenz compte parmi les sites les plus pittoresques du Tyrol.

Finstermünz. Già nel 1348 un ponte varcava qui le acque turbolenti dell'Inn che in questo luogo escono dall'Engadina svizzera. Col suo castello, con la sua cappella e la torre del ponte doganale, Finstermünz è ancor oggi uno dei posti più romantici del Tirolo.

Montafon, zu dem in jüngster Zeit die prächtige Silvretta-Hochalpenstraße über die Bielerhöhe (2021 m) mit dem großen Stausee der Illwerke dazukam.

Der flache Sattel des Zeinisjoches (1858 m) läßt erkennen, daß in früheren Zeiten hier keine Grenze zwischen Montafon und Paznaun war. Es ist daher anzunehmen, daß das innere Paznaun nicht von Norden her, sondern vom Montafon aus besiedelt wurde. Aber auch das vordere Paznaun ist in seiner Besiedlung nicht einheitlich. See, dessen Name uns noch heute verrät, daß dort ein See das Tal füllte, hat von Serfaus her, Kappl und Langesthei von Landeck her seine Bevölkerung erhalten; aus diesem Grund unterstand das Paznaun in alter Zeit drei Gerichten, drei auswärtigen Pfarreien und zwei Diözesen (Chur und Brixen). An die alten Verhältnisse erinnern zahlreiche romanische Worte und Verschiedenheiten der Bevölkerung.

In herb humoristischer Weise werden diese Verhältnisse in der berühmten Kappler Predigt des einstigen Kuraten Josef Alois Lindenthaler geschildert. Ein anderer Kappler Kurat, Adam Schmid (1689 bis 1729), stand wegen seiner Tüchtigkeit, Frömmigkeit und Wohltätigkeit im Rufe der Heiligkeit und wird in Kappl heute noch verehrt. In der Pfarrkirche hat er ein eigenartiges Denkmal aus Marmor.

Am Ausgang des Stanzertales liegt auf dem südlichen Mittelgebirge das Dorf Tobadill und am nördlichen Grins und Stanz. Grins brannte 1945 fast ganz ab. Seine malerische Wirkung wurde durch den sorgfältigen Wiederaufbau 1945 bis 1948 nicht vermindert, sondern dadurch gesteigert, daß er nicht dem Belieben des einzelnen Besitzers überlassen, sondern systematisch gelenkt wurde. Leiter dieses Wiederaufbaues war Oberbaurat Hans Weingartner, der die Architekten Alfred Stegner und Willi Stiegler mit den Entwürfen beauftragte. In mustergültiger Weise schlossen sich die 73 obdachlosen Familien zu einer Aufbaugemeinschaft zusammen, die Gelder und Baumaterialien usw. gemeinsam verwaltete. Um die künstlerische Qualität bemühte sich außer den beiden Architekten auch das Landesdenkmalamt. Für die dekorative Bemalung zahlreicher Häuser lieferte Hugo Atzwanger die Entwürfe. Das Jagdbild der Landesfürstin am sogenannten Maultaschhaus stammt von Max Weiler.

Vom Brand verschont blieb glücklicherweise die stattliche Rokokopfarrkirche mit Deckengemälden von Mathias Gindter. Das schlichte Gotteshaus von Stanz mit schönen Maßverhältnissen und gotischen Rippengewölben ist ein Werk der 1460 bis 1520 blühenden Bauhütte von Grins-Landeck.

Josef Weingartner

Der Tiroler Bauer

Wer jemals durch Tirol wanderte, im Frühjahr, wenn der Föhn braust; im Sommer, wenn der Himmel donnert und die Erde blüht; im Herbst, wenn über die abgeernteten Felder Herden ziehen und der Jochwind Laub und Reisig türmt; im Winter, wenn die umschattete Lautlosigkeit des Schnees abgrundtief über Tal und Höhen liegt; wer die Siedlungen sah, die eigene Art der Tiroler an Haus und Hof bewunderte; wer mit innerer Bewegung erkannte, wie sich das ganze Leben dieser Gebirgsmenschen abrollt im ungeheuren Rahmen der Jahreszeiten; in diesem Fluten von Licht und Farbe, in diesem traumhaften Sichregen und hellem Aufwachen, in diesem mittäglichen Wuchs des Hochsommers voll Kraft und Inbrunst und in diesem tropfen- und blattweisen Hinabgleiten in das samtene Weiß des Winters — wer tief in die Seele dieses Volkes drang und wer zuhöchst Gipfelschau hielt, dem prägt sich ein unvergleichlich wesenhafteres Bild ein, als er es jemals aus einem Bilderbuch gewänne.

Wogen die Felder von Korn und Heu in dem wundersamen Labyrinth der Täler, blühen oben die Alpenblumen, von der Sonne heißer und farbiger und trunkener vom Duft der Erde, nicht üppig, dennoch verschwenderisch in der Kargheit edelster Schönheit. Schallt Vogelsang, Dengelschlag, das Rollen der Garbenfuder und der helle Klang der Äxte durch Wälder, Wiesen und Bergmähder, dann spannt sich über die Höhen die rätselhaft bewegte Stille, manchmal aufgescheucht durch Urweltlaute: dem Poltern stürzender Eismassen, dem Steinschlag, dem Brausen der Gletscherbäche. Nirgends strahlt die Sonne so unverbraucht wie in diesem Gestein. Doch die Landschaft hier oben, heroisch geworden und schwunghafter in ihrer Einfachheit, ändert sich mit atembeklemmender Plötzlichkeit, wenn der Gewittersturm die unermeßliche Weiträumigkeit der Kare mit Finsternis überschüttet und wenn Donner und Wind emporbranden an den riesenhaft geworfenen Linien der Horizonte.

Das Saftgrün der Wiesen, die blauschwarze Pracht der Wälder, das Grau der Felsen, die silbernen Gletscher, die tausendfachen Stimmen der Natur vom Orgeln des Föhns bis zum Flüstern der Birken, Quellen und Bächlein, die Starrheit der Gebirge, dennoch bewegt im Wechsel ihrer Formen, das unermüdliche Wandern der Wolken am Himmel, das Rauchen und Brauen der Nebel in Schlünden und Tälern, die Farbenspiegel und Lichtwunder der Jahreszeiten — alles klingt zu einer majestätischen Sinfonie zusammen: Schönes Land Tirol, so schön bist du wie am letzten Schöpfungstage!

Alle Gäste sind willkommen.

Viele steigen aus der Einförmigkeit der Ebene herauf. Ihre Unendlichkeit ist schön, aber die Weiten verschwimmen. Und doch möchte das Auge so gerne landen. Es gibt nur einen Zug und einen Gegenzug: die reglose Landschaft und den Wandel der Wolken. Auf den Spitzen der Tiroler Berge aber werden alle Sinne, plötzlich gesteigert, nur noch im Auge wachen, wenn es von Gipfel zu Gipfel schweift. Die Rundschau ist von solcher Erhabenheit, daß sie im Menschen die geläutertsten Hochgefühle aufruft. Das reine, einfache, heldische Wesen sprengt mit einem Sturm der Freiheit alles, was den Menschen umwuchert an Mißmut, Kleinlichkeit, Sorge und dumpfer Alltäglichkeit. Weit zurück liegt der Pferch der Städte, Schreibstube, Kaufgewölbe, Werkstatt und Arbeitsplatz. Und ist's zur Zeit des Sonnenaufganges, dann werden die Abstufungen im Anwachsen des Lichtes, seine magischen Wirkungen und sein überwältigender Sieg jedem ein unauslöschliches Erlebnis sein. Die Zinken und Spitzen, die Zacken, Grate und Kuppen treten ins Licht. Aus dem Undeutlichen und Ahnungsreichen schreiten sie hervor, Hülle und Schatten abwerfend, zu beängstigender Deutlichkeit und dennoch undeutbar in ihrer Größe.

Wieder andere, die das Land besuchen, kommen aus den Steinwüsten der Städte. Die Städte Tirols sind nicht Stein gewordene Gebilde. Überall strömt Landschaft hinein. Sie schwingen in verborgenen Melodien. Selbst der Wellenschlag der modernen Zeit, der auch sie durchpulst, ist nicht so ungestüm, um sie von der Verwurzelung in der Landschaft loszureißen. Und wer den sonntäglichen Frieden des Dorfes liebt, den Weiler, das Einzelgehöft, dem steigt beim Anblick eines Bauernhauses die Ahnung auf, was ein Heim ist: nicht eine Betriebsstätte, sondern ein Hof; nicht eine Mietskaserne mit Parteien, sondern ein Anwesen, in dem sich das Leben einer Sippe abspielt.

Wer Erholung und Sammlung sucht, wer als Bergsteiger sommers oder als Skifahrer winters nach Tirol kommt, wer nichts anderes will als nur den Anblick der Berge — in der Seele aller widerhallt der ewige Kolumbusruf der Sehnsucht und der Entdeckung: Land! Land!

Ein Weg zur Seele der Landschaft, vielleicht der behutsamste, der aber ins Verborgenste führt, ist das Erkennen und Lieben der Volksseele. Berg und Land, Geschichte und Schicksal, Ahnenerbe, Brauchtum und Arbeit haben die Art des Tiroler Volkes geprägt. Ein gemeinsamer Zug ist ihm eigen: die Liebe zur Scholle, der Drang nach Freiheit und Unabhängigkeit, die Zähigkeit, im trotzigen Schweigen oder im aufbegehrenden Zorn an der Überlieferung festzuhalten. Im Ausdruck dieser seelischen Grundhaltung jedoch zeigen sich viele Abstufungen, die nicht nur das Äußere, sondern auch das Innere der Talschaften formen. Fast jede hat ihre Mundart und ihre Tracht. Die Sprache des Oberinntales klingt hart, aber mit breiten Lauten; die des Unterinntales gleitender. Andere Bilder und Vergleiche hat der Lechtaler als etwa der Paznauner. Sangesfreudig ist der Zillertaler, Heiterkeit liebt das Unterinntal, wo in manchen Gemeinden ein schauspielerisch hochbegabtes Völkchen sitzt, während der schwerblütige Oberinntaler ernsten Mummenschanz vorzieht. Aus den vielgestaltigen Masken des Imster Schemenlaufens blicken Mythos und Naturkräfte. Alle Mundarten sind voll bildhafter Wendungen und voll unmittelbar dem Leben und der Natur entnommener Vergleiche. Darum die Schlagfertigkeit und lakonische Kürze der Rede. Das Tiroler Bauernvolk denkt nicht in Begriffen, sondern in Bildern. Es verschmäht Worte, deren Inhalt nicht ein faßbarer und schaubarer Gegenstand ist. Die Lebendigkeit und Nähe der Natur, ihre immer wechselnde Bilderabfolge regt sein Gemüt zu sinnfälliger Gestaltung seiner Gedanken und Empfindungen an.

Es gibt wenig Gebirgsvölker, die einen so ausgesprochenen Kunstsinn besitzen wie die Tiroler. Das Tiroler Volkslied ist bekannt. Die Tiroler Krippen sind berühmt. Unvergleichlich schön sind die Märchen, Sagen und Legenden, die sich im Volke gebildet haben. Groß ist die Zahl der Künstler der Gegenwart und der Vergangenheit, seien es nun Dichter, Bildhauer, Maler oder Musiker. Viele ihrer Werke könnte die gesamte deutsche Kultur nicht mehr missen. Durch die Hervorbringung künstlerisch hochwertiger Leistungen einzelner auf ein so kleines Volk und auf so engem Raum beschränkt, wie in Tirol, ist die Begabung des Volkes noch nicht erschöpft. Sie formt auch die Dinge des Alltags: Feld- und Hausgerät. Der Tiroler liebt Schmuck und Zier an Haus und Hof: Blumen, Schnitzereien auf Giebeln und Söllern, Gemälde oder fromme und launige Sprüche. Keine getäfelte Stube ist bar jedes Schmuckes, keine Wiege, kein Kasten und keine Korntruhe. Der Tiroler liebt das Farbige, das Bunte und Bewegte. Aber er hat Geschmack, er häuft und überlädt nicht wahllos.

Der Tiroler Bauer steht fest im Leben und auf seiner Scholle. Er lebt und arbeitet nicht für sich allein. Er ist nicht abgespalten von der Vergangenheit und sein Tun ist nicht gleichgültig oder wirkungslos für die Zukunft. Er ist ein Mitglied der Sippe. Die Verantwortung vor ihr liegt ihm im Blut.

Tief verwurzelt ist die Religiosität des Tiroler Volkes. Die Natur ist nicht verschwenderisch. In harter Arbeit muß der Erde die Frucht abgerungen werden. Überfluß an irdischen Gütern hat das Volk nicht. Teuer, oft unter dem Einsatz von Leben und Gesundheit, muß das Wenige erkauft werden. Es ist ein schwerer Kampf, den das Bergvolk um den Segen seines Bodens kämpft. Hab und Gut steht unter drohenderen Gefahren als anderswo. Eine Lawine kann Haus und Hof verschütten. Ein Erdrutsch die Felder vermuren. Eine Überschwemmung blühendes Land verwüsten. Steinschlag, Blitzschlag bedroht die Herden auf den Almen. Hagel und Ungewitter kann die Ernte vernichten. Vor diesen Elementarschäden gibt es keine Sicherheit. Es ist nicht Zauberei, nicht Aberglaube, nicht dumpfe Angst vor dem Wüten eines blinden Schicksals, sondern der unerschütterliche, angestammte Glaube und das Wissen, daß alles Leben in Gottes Hand liegt, wenn das Volk seine Almen, seine Felder und Ställe segnen läßt, wenn es im Gewitter die Wetterglocke läutet und geweihte Kräuter verbrennt, wenn es sommers vor den Wildbächen den Priester bittet, die vier Evangelien zu lesen und den Wettersegen zu erteilen, oder wenn es aus Dankbarkeit, zum Gedächtnis oder aus einem Gelöbnis Kapellen erbaut, Bildstöcke errichtet, Kreuze aufstellt oder Bitt- und Kreuzgänge und Wallfahrten veranstaltet.

Dieser angestammte Väterglaube verdüstert das Volk nicht, denn er ist nicht düster. Gibt es etwas Fröhlicheres als ein Tiroler Krippenspiel? Welche Heiterkeit liegt in vielen kirchlichen Volksliedern! Welch freudige Stimmung erweckt die Pracht der Prozessionen! Welcher Schalk blitzt aus vielen bildlichen Darstellungen frommer Begebenheiten!

Der Tiroler Bauer kennt neben Hof und Anwesen auch seine Berge. Aber er sieht sie anders; da droben ist sein Wald, seine Bergwiese, seine Alm; da droben ist das Gamsgebirge, da sind die Balzplätze von Ur- und Spielhahn. Glaubt, wenn der Bergbauer nach dem Tagesschaffen auf der Bank vor seinem Haus rastet, er sieht und er spürt den Frieden und die Schönheit seines Landes. Der Senn auf der Alm, der Hirt im Kahlgebirge, der Mäher auf der Bergwiese, der Holzknecht im Wald, sie wissen, wo Edelweiß und Brunellen blühn, wo Aussichtsplätze zu Rast und Traum laden, wo Quellen sprudeln und welche Wolke ein drohendes Gewitter kündet. Sein Schönheits- und sein Natursinn erschöpft sich nicht in ästhetischen Begriffen, er ist randvoll von den gegenständlichen Dingen seiner geliebten Heimat.

Joseph Georg Oberkofler

Lermoos im Winter. Lermoos zählt mit über 200.000 Nächtigungen im Jahr zu den beliebtesten Urlaubsorten im Außerfern. Neben dem landschaftlichen Reiz der Zugspitze ist die Pfarrkirche ein eindrucksvolles Zeugnis der Barockkunst im Außerfern.

Lermoos in winter. Lermoos is one of the most popular holiday resorts in the Ausserfern region. The Zugspitze forms an impressive backdrop, while the Baroque parish church is of artistic interest.

Lermoos en hiver. Lermoos enregistre plus de 200.000 nuitées par an et est une station de vacances fort appréciée. Ayant le massif de la Zugspitze pour toile de fond, l'église paroissiale est un remarquable témoignage de l'architecture baroque dans l'Ausserfern.

Lermoos d'inverno. Lermoos che registra più di 200.000 pernottamenti l'anno, è uno dei posti di villeggiatura dell'Ausserfern favoriti. Oltre al fascino del paesaggio coronato dalla Zugspitze, la chiesa parrocchiale è una testimonianza suggestiva dell'arte barocca nell'Ausserfern.

Weißensee am Fernpaß. Ungeahnte Einblicke in herrliche Naturschönheiten bieten die waldgesäumten Ufer des Weißensees, dessen stilles und klares Wasser noch unberührt von der Zivilisation zu sein scheint.

Weissensee and the Fernpass. Unsuspected vistas open from the wooded shores of the lake whose clear, silent waters seem untouched by civilization.

Weissensee au Fernpass. Les rives boisées de ce lac alpestre près du col offrent d'incomparables perspectives dans un site naturel de toute beauté. Les eaux claires et tranquilles semblent loin de toute civilisation.

Weissensee sul Fernpass. Le rive di questo lago, orlato da boschi, le cui acque tranquille e limpide sembrano essere state risparmiate dalla civilizzazione, offrono delle viste stupende sulle magnifiche bellezze naturali di questi luoghi.

Das Außerfern

Wenn man von der Gegend von Holzgau und Elbigenalp sowie vom Talbecken um Reutte absieht, hat der Wanderer, der die Lechtaler Alpen durchwandert, den Eindruck einer ernsten und strengen Landschaft. Denn das wichtigste Formelement der ganzen Gegend, der graue und wenig bewachsene Hauptdolomit, ist — nach Raimund von Klebelsberg — „entstanden als kalkiger Schlammabsatz im seichten Meere und erweist sich als wenig fruchtbar. In der Höhe bleibt es größtenteils kahl, die Almen sind dürftig, größere Wiesen und Weiden fehlen; tiefer an den Hängen überzieht es sich mit Latschen und schütterem Wald. Die Seitentäler sind nicht oder kaum besiedelt."

Eine Landschaft, die durch dieses Gestein geformt wurde, kann keinen heiteren Charakter haben. Das Gestein beginnt westlich vom Fernpaß in der Lorengruppe und behält gegen Westen und Norden bis zur Landesgrenze die Herrschaft. Aber seine Masse ist unterbrochen durch andere Gesteine (Plattenkalk, verschiedene Mergel, Raibler Schichten usw.), und häufige Verschiebungen sorgen für Abwechslung, so die weichen Mergel, weil sie einen fruchtbaren Kulturgrund bilden und z. B. die steilen Graswiesen bei Bichlbach und das Gelände von Berwang tragen und so in das strenge Antlitz der Gesamtlandschaft freundliche Züge bringen.

Noch etwas verleiht dieser Landschaft einen eigenartigen Reiz. Dadurch, daß die Lechtaldecke (wegen seiner weiten Verbreitung in den Lechtaler Alpen wird der Hauptdolomit so genannt) an die Inntaldecke grenzt, entsteht eine zauberhafte Wechselwirkung von kontrastreichen Formen und Farben, da die Inntaldecke aus einem von Algen, Korallen usw. abgesonderten Wettersteinkalk besteht; dieser ist lichter, bildet gern hohe Wände und wurde, obwohl geologisch älter, der Lechtaldecke vielfach aufgeschoben. Seine fahlen, prallen Wände reagieren anders als der dunkle Hauptdolomit auf jeden Wechsel des Lichtes — vom fahlen bleichen Aschgrau bis zum leuchtenden Rot.

Am schönsten ist dies im Lermooser Becken, wo der Wettersteinkalk der Inntaldecke vom Karwendel und von der Mieminger Kette nach Westen weitergreift und an der Sonnenspitze und der Wettersteinwand auf die Lechtaldecke stößt. Der Blick auf das weite Talbecken, das ehemals ein großer See ausfüllte, und auf die Berge rechts und links zeigt uns eines der großartigsten Landschaftsbilder von Nordtirol. In ähnlicher Weise wird das grüne Tannheimer Tal im Norden von hohen und schroffen Kalkfelsen eingeschlossen, in denen das Wandern wesentlich angenehmer ist als im dunklen und brüchigen Gestein, das das Lechtal vom Inntal trennt. Auch die Gegend von Reutte, etwa von der Ernberger Klause betrachtet, bietet einen wundervollen Anblick mit zwei markanten Wahrzeichen der Gegend: der Gehrerspitze (2164 m) und dem Säuling (2040 m). Westlich von Tannheim führt ein kleines Seitental zum romantischen Vilsalpsee; von den grünen Wiesen, die ihn umsäumen, klingt melodisches Geläute der Herdenglocken, dunkle Wälder träumen darüber und vom Norden her spiegelt sich der Aggstein in den stillen Fluten. Auf einer 350 m höher gelegenen Berg-

Frühling mit Zugspitze. Von der Chorwand des Kirchleins grüßt ein überlebensgroßer heiliger Christophorus, Schutzpatron der Reisenden, dem Wanderer zu. Im Hintergrund erhebt sich mächtig die steinerne Bergwüste der Zugspitze.

The Zugspitze in spring. St Christopher, patron of travellers, appears on the wall of the little church. In the background rises the barren massif of the Zugspitze.

Le printemps et la Zugspitze. Adossé au mur du chœur de la petite église, un grand Saint-Christophe, protecteur des voyageurs, salue les promeneurs. A l'arrière-plan se dresse l'imposant massif de la Zugspitze.

Primavera sulla Zugspitze. Dalla parete del coro di questa chiesetta, S. Cristoforo, patrono dei viaggianti, saluta in grandezza più che naturale i passanti. Nello sfondo si alza imponente il massiccio della Zugspitze.

terrasse liegen der Traualpsee und der Lackensee, die ihre Wasser zum Vilsalpsee entsenden.

Kirchlich gehörten die Nordwestecke, Lermoos und die hochgelegenen Seitentäler südlich vom Lech zur weitausgedehnten Urpfarre Imst, von wo aus sie seinerzeit über die Jöcher her besiedelt worden sind. Zwischentoren, Reutte, das obere Lechtal und Tannheim hingegen waren von Norden her besiedelt und betreut worden. Das Benediktinerstift Füssen, mit dem die Pfarre Aschau schon in ältester Zeit eng verbunden war, spielte dabei eine maßgebende Rolle. Um 1400 wurde auch Breitenwang eine eigene Pfarre, 1423 folgte Bichlbach nach. Das spät besiedelte Tannheim hatte 1377 einen eigenen Pfarrer erhalten, 1312 wird die Pfarre Elbigenalp eigens genannt, von der 1400 Holzgau abgetrennt wurde. Schon der Name dieser beiden Bezirke verrät, daß sie ebenfalls spät besiedelt wurden: Elbigenalp diente offenbar zur Sommerung des Viehes. Die öfters geäußerte Meinung, daß es schon im Frühmittelalter in enger Beziehung zu Füssen stand und von dort her gerodet wurde, läßt sich durch nichts beweisen. In den weiten Wäldern von Holzgau wurde für das untere Lechtal, speziell für den Bergwerksbedarf, das Holz geschlagen.

Die Gegend von Lermoos und Reutte wurde viel früher besiedelt als etwa Tannheim oder das obere Lechtal, dessen rauhes Klima und kümmerliche Vegetation irgendwie an eine Alm erinnert.

Ins hellere Licht der Geschichte tritt die Gegend von Reutte erst im 13. Jahrhundert, wo sie Meinhard II. für Tirol erworben, zum Grenzbezirk gegen Bayern gemacht und daher durch stärkere Befestigungen gesichert hatte. Der Übergang des Hochgebirges gegen die Ebene bot mit den isolierten Hügelkuppen die beste Gelegenheit zur Anlage eines festen Grenzbollwerkes; es ist daher kein Zufall, daß es gerade Meinhard gewesen ist, der die 1293 zum erstenmal erwähnte Burg Ernberg zur Sicherung des neuerworbenen Gebietes und als Grenzfeste erbaute. Alle Angaben älterer Schriftsteller über den möglicherweise römischen Ursprung der Burg entbehren jeder Grundlage. Baubefund, das verhältnismäßig schlechte Mauerwerk auch der ältesten Teile und vor allem das Fehlen eines richtigen Bergfrits, beweisen, daß die Anlage erst der allerletzten Burgenzeit, eben dem Ende des 13. Jahrhunderts, angehört.

Der ursprüngliche Bau war sehr einfach und bestand vermutlich aus dem Palas, dem herrschaftlichen Wohnbau, der im ersten Stock einen langen Saal, im zweiten die Kapelle enthielt, an der sturmfreien Seite lag und aus der Ringmauer und einer kleinen Vorburg gegen Süden die schönste Aussicht gewährte. Am Ausgang des Mittelalters wurde die Burg mehrfach vergrößert und umgebaut. Aus dieser Zeit stammen die Nebentrakte sowie der als „Stock" bezeichnete turmartige Anbau neben dem inneren und der als „Türnitz" bezeichnete Rundturm neben dem äußeren Burgtor; dieses selber und die äußeren Zwinger mit dem weit vorgeschobenen Falkenturm.

Auch die Ernberger Klause, die unmittelbar unter der Burg die Straße sperrte, geht wohl so weit zurück wie die Burg selbst. Verschiedene Nord- und Südtiroler Burgen, wie etwa Schloßberg bei Seefeld, Martinsbühel, Tratzberg, Rottenburg, Matzen, Taufers, Neuhaus bei Terlan, Weinegg bei Bozen, besaßen schon im Mittelalter derartige Straßensperren. Wenn es auch nicht sicher ist, ob mit dem 1314 erwähnten „Gericht in dem Walde zwischen den Chlausen" nur das heutige Zwischentoren oder auch das Becken von Reutte mit gemeint ist, so läßt die Bezeichnung „zwischen den Klausen" doch erkennen, daß es in dieser Gegend befestigte Klausen gab; dazu wird sicher auch die Ernberger Klause gehört haben. Vermutlich bestand sie ursprünglich nur aus einer einfachen Sperrmauer mit einem Tore, wurde aber im 16. Jahrhundert wie die Burg selber weiter ausgebaut.

Die Seitentäler des Lechtales sind tief in die Landschaft geschnitten, was sich besonders bei den Mündungsschluchten von Kaisers, Gramais, Bschlabs und Namlos zeigt. Der Zusammenhang mit dem Lechtal wurde dadurch stark unterbunden, bis auf die jüngste Zeit war die Verbindung mit diesen Tälern äußerst beschwerlich.

Die Besiedlung erfolgte vom Süden, von Imst und dem Stanzertal her, weshalb diese abgelegenen Dörfer dem Dekanat und bis in die jüngste Zeit auch dem Gerichte Imst unterstanden. Auf eine frühere Etappe der Taleintiefung gehen die bequemen Paßtäler des Hahntennen (1884 m) und des Schweinsteinjochs (1565 m) zurück, durch die der Siedlungszusammenhang mit Imst gefördert wurde. Etwas älter sind die breiten Senken von Berwang und Kelmen (1336 m und 1342 m).

In den Talgründen und in den Karen des Allgäuer Hauptkammes mit der Hornbachkette blieben ansehnliche Reste des alten Oberflächensystems noch erhalten. In diesen abgelegenen Bergdörfern, in die nicht einmal ein richtiger Karrenweg führte und wo die auf- und abgehenden Pfade jeglichen Transport erschwerten, durch Jahrhunderte zu siedeln, war keine kleine Leistung.

Seit dem 15. Jahrhundert wurden in diesen Dörfern allenthalben eigene Kaplaneien und Exposituren errichtet, die später zu Lokalkaplaneien und Pfarreien erhoben wurden. Schließlich gehörten zum Dekanat Breitenwang 37 mehr oder weniger selbständige Seelsorgsposten. In ähnlicher Weise traten an die Stelle der ursprünglichen Markgenossenschaften, die meist mit den Urpfarren zusammenhingen, im Laufe der Zeit zahlreiche Gemeinden. In den größten von ihnen, wie Lermoos, Reutte, Elbigenalp und Holzgau, verraten manche Gasthöfe, schöne bemalte Privathäuser, die stattlichen Kirchen von Wängle und Tannheim sowie einzelne schlichtere, aber trotzdem in Form und Farbe herrliche Gotteshäuser, den Wohlstand und den Kunstsinn der Bevölkerung.

Während die Talsohle bei Lermoos und Reutte sowie im Lechtal bei Elbigenalp und Holzgau und von Weißenbach abwärts sich in die Breite dehnt und prächtige grüne Wiesen trägt, ist sie bei Forchach und Stanzach von Flußschotter übermurt; das obere Lechtal wird von Hägerau und Steeg weg schluchtartig eng und ursprünglich romantisch.

Josef Weingartner

Im Rotlechtal

So betrete ich diesmal im Mai den schönen, stillen Gebirgswinkel, den ich bisher nur im August kannte. Es hat dies etwas Rührendes, wie die Begegnung mit dem Mädchenbildnis einer lieben Frau, die uns bisher nur als Mutter, in der Bürde ihres Lebens, bekannt war. Die in den steilen Bergwiesen verstreuten Rechtecke, im Spätsommer goldgelb von der reifen Futtergerste, zeigen jetzt noch die nackte braunrote Ackerkrume, kaum da und dort belebt von den ersten grünen Spitzchen der aufgehenden Saat. Das samtene Grün der steilen Matten, durchwoben von den frischen Farben der Frühblumen, erstreckt sich weit hinauf zu den hohen Rasenkämmen, die, noch kaum vom Schnee entblößt, die unbestimmte Farbe des Vorfrühlings tragen. Die steilen Runste auf der Schattenseite sind bis tief herab von schmutzigem Lawinenschnee erfüllt. Droben in der Zone der Baumgrenze hebt sich jeder einzelne Lärchenbaum als smaragdgrüne Pyramide aus dem Dunkel der Fichten und Legföhren. Die höheren rückwärtigen Felsbastionen — im Sommer nackte Kalkgebilde — sind noch allenthalben von reichen Schneemustern durchzogen. Die nordseitigen Kare sind ganz vom Winterschnee ausgefüllt, riesige, bleibend weiße Trapeze und Dreiecke, die ihre Spitzen weit hinab in die düsteren Schluchten der Baumregion entsenden und reichliche Schmelzwässer allenthalben der tief eingegrabenen Talschlucht zuführen. Hoch über dieser Schlucht des Haupttales quert mein Weg von Weiler zu Weiler die steilen Hänge, auf denen die Bergwiesen mit abschüssigen Waldstreifen wechseln. In unerschöpflichen Variationen und Kleinmalereien läßt hier am Wege, Schritt für Schritt, der Mikrokosmos der Blumen das Thema des Bergfrühlings wiedererklingen, das die Bergnatur im großen intoniert. Die Böschungen, im Hochsommer von Farnkraut und Vanilledisteln überwuchert, sind jetzt vom Stahlblau der kleinen und großen Enziane, vom Dunkelrosa der zarten Mehlprimel durchwirkt.

Die hochstämmige, einblütige schneeweiße Alpenanemone blüht zu Tausenden auf den steilen Hochwiesen, ebenso zahlreich eine edle, anderwärts sehr seltene Anemonenart, deren Blüten in Dolden stehen und als rosarote Knospen die Apfelknospe, als schlohweiße Blüten die Narzisse vortäuschen.

Unter den Schmelz und Adel der Anemonen mischen sich zudringlich die skurrilen Narrenfahnen oder Tharsusstäbe des derben plebejischen Läusekrautes. Zwischen hochstehendem purpurrotem Knabenkraut zeigen sich die ersten niedrigen Köpfchen der wohlriechenden Sommerorchis, in einer etwas höheren Zone beherrscht, wie bei uns im Inntal, noch die pralle Trollblume das Feld, auf trockeneren Steilhängen drängt sich schon das üppige krautige Gewächs des großblütigen gelben Astragalklees vor, weiter oben bis zu den Schneezungen der ergrünenden Höhenkämme sind die Alpenanemone, der niedrige blaue Enzian und das Eisglöckchen noch die Alleinherrscher.

An einem anderen Tage zieht es mich in die schattigen waldigen Schluchten des innersten Tales. Von meiner hoch an der Steillehne klebenden Häusergruppe habe ich tief in den Talgrund abzusteigen. Ein schmaler Steg führt aufs andere Ufer der Schlucht und von dort ein teilweise in Fels gehauener Alpenweg ins innere Tal hinein. Im feuchten Schatten der Talschlucht und in den schwer gangbaren Seitenschluchten wuchert üppigster Pflanzenwuchs ganz anderer Art als auf den sonnigen steilen Bergwiesen gegenüber. Die rosarote und edlere weiße Valeriane säumen hier den Weg, auf den steilen Kalkfelsböschungen funkelt da und dort noch die goldene Blütendolde einer Aurikel, die zarten Gebilde des Thalictrums und der Actäa variieren in phantastischer Zartheit die Grundform des Hahnenfußes, und unter Laubgebüsch und Zundern in feuchteren Klüften zeigen sich Maiglöckchen und Frauenschuh, beide Arten der Alpenrose stehen schon in Knospen, von der rostigen Art leuchtet an sonnigen Plätzen da und dort schon eine erste Blüte. — Da mündet gegenüber eine wilde, romantische Schlucht vom Subleskopf herab, in der oberen Hälfte noch von Lawinenschnee erfüllt. Das Abenteuer lockt, und die Nachmittagssonne vergoldet verführerisch die oberen Felskulissen und ihren äußeren Latschenmantel. Es war ein mühsames, unwegsames Aufwärtstasten durch Dickicht, über Felsstufen, immer höher, bis ein schmaler Quersteig erreicht war, der, kaum kenntlich, in den Grund der Schlucht hineinführte. Ein Zauberwort muß hier, am Rand von Schnee und Steilwänden, dies Paradies von Blumen und Farben des Frühlings entfesselt haben. Zwischen dem Hochrot der Erika und dem Gold der Aurikel wuchert allenthalben das Steinrösl, in zarter Schönheit noch übertroffen vom Blaßrosa der Zwergalpenrose, deren Polster sich weit hinauf in die nackten Felsen ziehen und ihnen eine Aura von Zartheit und Farbenduft verleihen. Sattblaue Enziankelche, blaßlila Kugelblumen und die Eleganz des Frauenschuhs und des im Schatten der Legföhre eben erblühenden Maiglöckchens schufen diesen kleinen bizarren Naturausschnitt hoch oben, zwischen Schnee, Fels und Zundern, zu einem unwirklichen und doch erregenden Traum. Da und dort mischt sich das silbrige Gebilde der blühenden Felsenbirne in das Schwarzgrün der Legföhre oder ziert höher hinauf auch den nackten Felsen. Wie berauscht zog es mich immer weiter hinauf in die engere Steilschlucht, als Pfad diente mir nur mehr die steile Schneedecke des Schluchtgrundes, unter der das Schmelzwasser in Wasserfällen hinabtoste — längst war links und rechts die Blumenpracht entschwunden, nur Legföhren und vereinzelte blühende Zwergweiden durchzogen rechts und links die Seitenwände der Schlucht, in deren Grunde ich auf steilen unterhöhlten Schneebrücken weiterstapfte, bis mir klar wurde, daß es nach oben zu keinen Ausweg gab. So mußte ich in schwindelnder Steilheit über die unsichere Schneekruste hinab den Rückweg antreten und dankte dem Himmel, als ich nach einer bösen halben Stunde glücklich wieder in meinem Paradiesgärtlein angelangt war. Als ich mich hier zur Rast niederstrecken wollte, gewahrte ich nahe von mir, an der Kante des Jagdsteigleins, etwas wie ein schlichtes Marterl — ich ging hin und las auf einer rostigen Blechtafel: „Unserem lieben guten Adolf Moustière, gestorben am 24. Mai 1922". Es gab mir einen leichten Stich, denn es war heute gerade der 24. Mai, die Platenigl blühten wie damals vor 26 Jahren, und ich war nahe daran gewesen, des armen unbekannten Moustières Schicksal zu teilen. Friedlich führte mich dann mein Jagdsteig, den Hochwald querend, hinaus auf die grünen Rasenhänge über dem innersten Weiler. Hier am Waldrand bot sich wieder manches neue Entzücken dem Auge des Pflanzenfreundes. Gelbblühende Berberitzenstauden hatten sich mit den zartblauen Glocken der rankenden Waldrebe bekränzt, flammendes Rot der ersten Alpenrosenknospen daneben wollte sich in diese mädchenhaft zarte

Harmonie nicht recht einfügen. Weiter unten, schon nahe den ersten Häusern, stand in einer feuchten Wiese, zwischen Enzian und Mehlprimel, zu Dutzenden die leibhaftige Felsenaurikel und schien sich hier zum gewöhnlichen Dienst der Frühlingsschlüsselblume, ihrer unadeligen Schwester, herabgelassen zu haben, die sie hier offensichtlich vertrat. — Wie jede Häusergruppe hier, hat auch dieser innerste höchste Weiler seine gemauerte Kapelle; wenn auch ihr Platz auf den steilen Wiesen über der Talschlucht schmal neben den wenigen Häusern ausgespart ist, beherbergt sie doch einen Hochaltar und zwei Seitenaltäre. Das Glöcklein ruft eben zur abendlichen Maiandacht. Ein alter Invalide versieht andächtig sein Amt als Vorbeter, vier, fünf Weiblein und zwei Kinder verrichten mit ihm das Rosenkranzgebet vor dem reich mit frischen Bergblumen und Latschengrün gezierten Maialtar. Wie lange wohl mag es her sein, daß die zirbenen geschweiften Betstühle dieser Kapelle, deren Ausdehnung nach der Seelenzahl der Häusergruppen berechnet war, bei diesen Andachten bis zum letzten Platz gefüllt waren? So war es wohl in den Zeiten, aus denen noch manch schönes Altar- und Wandbild übrig ist, sei es eine Flucht nach Ägypten mit einem am Wege anbetenden Bauernkind, bezeichnet „ex voto 1733", seien es die Nothelfer Sebastian und Rochus aus der Pestzeit, bezeichnet „Paul Zeiller 1698", sei es eine dramatisch bewegte Kreuztragung zwischen Säulen, Feldzeichen, wallenden Mänteln und Rüstungen in der Art des venezianischen Barocks. Aber stärker noch als solche mehr herkömmlichen Darstellungen hat sich ein seltsames Bild meiner Erinnerung eingeprägt: Über einer großen himmelblauen Erdkugel, vom Blut des auf ihr ruhenden Lammes bespritzt, erhebt sich ein prächtiger Tempel, vor dessen vier Säulentoren vier allegorische Gestalten, die vier Erdteile verkörpernd, in erregter Gebärde einem nach oben entschwebenden Engel nachblicken; dieser reicht der ihn oben erwartenden himmlischen Glorie eine goldene Schüssel voll brennender Herzen als kostbare Ernte entgegen.

Die Zirbe, heute hier fast ausgestorben, hat seinerzeit auch das Holz zu den flachen, einfach gemusterten Decken dieser kleinen Bergkirchlein geliefert; ihrer fünf zähle ich in meinem abgelegenen Hochtal, entsprechend der Anzahl der Weiler. An gewissen Werktagen des Jahres wird in ihnen die Messe gefeiert, an Sonn- und Feiertagen wandert alles, alt und jung, weit hinaus ins Pfarrdorf. Ganz wenige Tage fortwährender Hitze und Trockenheit genügten, um, wenigstens in der Höhenlage der Siedlungen, das Frühlingsbild zum Sommerbild zu wandeln und an den sonnseitigen Hängen eine beängstigende Dürre hervorzurufen. Margeriten, Bocksbart, Wiesendistel und Thymian und die gelben, weißen und roten Kleesippen rufen über Nacht neue Farbenharmonien hervor. Zugleich sind die Sommerfalter auch auf den Plan getreten, nicht nur die vornehmen Wappenträger, wie die Schwalbenschwänze, Segelfalter, Distelfalter, auch das kleine bunte Volk der Dukatenfalter und Bläulinge und ihre grauen, schwarzen und smaragdgrünen Bundesgenossen. Unter diesen fallen mir neue, nie gesehene Arten auf, besonders ein kleines schwärzliches Falterchen, dessen Unterflügel mit einem kupferroten Bande gesäumt sind. Ich erinnere mich eines Besuches bei dem seither verstorbenen Pfarrer in einem der Nachbartäler, der in den Jahrzehnten seiner Seelsorge in diesen Hochtälern zum großen Entomologen geworden war.

Haldensee. Der Haldensee im Tannheimer Tal zählt noch zu den ruhigen Erholungsseen. Von sanft ansteigenden Wiesen und steilen Bergwänden umgeben, liegt der See — dessen Wasser das leuchtende Blau des Himmels aufnimmt — auf über 1100 Meter Höhe.

Haldensee. Framed by meadows and steep mountain slopes, the Haldensee (3300 ft) in the Tannheim Valley peacefully reflects the deep blue of the sky.

Haldensee. Voici un lac dans la vallée de Tannheim, une véritable région de vacances offrant calme et tranquillité. Entouré de prés en pente douce et de parois rocheuses, ce lac aux eaux d'un bleu d'azur se trouve à 1100 m d'altitude.

Haldensee. Questo lago nella Val Tannheim si annovera fra i laghi di ricreazione più tranquilli. Circondato da prati leggermente ascendenti e da ripide pareti rocciose questo lago si trova a m 1100 s. l. m. ed accoglie in sè l'azzurro splendente del cielo.

Heiterwanger See. Inmitten der sanft abfallenden Bergrücken eingebettet, liegt der Heiterwanger See und lädt zu einer erholsamen Bootsfahrt ein. Auch Kaiser Maximilian bevorzugte dieses Gewässer für seine Fischjagden.

Heiterwanger See. Boating on the Heiterwanger Lake, embedded amid soft mountain slopes, is a great pleasure. Emperor Maximilian I enjoyed fishing in its clear waters.

Heiterwanger See. Blotti au milieu de montagnes en pente douce, le lac invite à faire de paisibles promenades en barque. L'empereur Maximilien appréciait particulièrement ces eaux de pêche.

Heiterwanger See. In mezzo ai pendii di montagna leggermente scendenti è ubicato il Heiterwanger See che invita a una riposante gita in barca. Anche l'Imperatore Massimiliano preferiva quest'acqua per le sue uscite di pesca.

Reutte, Zeillerhaus. Die stolzen Fassaden am Obermarkt zeugen von der wirtschaftlichen und kulturellen Stärke des Hauptortes des Außerfern. Reutte ist Heimatort der berühmten Malerfamilie Zeiller.

Reutte, Zeillerhaus. The proud façades on the Upper Market Place bear witness to the economic and cultural importance of this main town in the Ausserfern region. Reutte is also the home town of the Zeillers, a family of painters renowned far beyond its limits.

Reutte, Zeillerhaus. Les fières façades de l'Obermarkt témoignent du rayonnement économique et culturel de la principale localité de l'Ausserfern. C'est de Reutte qu'est originaire la célèbre famille de peintres Zeiller réputées partout.

Reutte, Zeillerhaus. Le facciate superbe all'Obermarkt fanno prova della potenza economica e culturale di questo capoluogo dell'Ausserfern. Reutte è il luogo di nascita della celebre famiglia di pittori Zeiller.

Holzgau. Die Lüftelmalerei — die Bemalung der Hauswände mit figuralen und architektonischen Szenen — ist für das Außerfern ein Charakteristikum. Die Frische der Farben, die dekorativ festliche Malweise an diesem Holzgauer Haus, vermittelt die Kunstfertigkeit des Lechtalers.

Holzgau. Houses painted with frescoes of figurative and architectural scenes are typical for the Ausserfern region. The freshness of the vivid colours on the walls of this Holzgau building testify to the artistic gift of the painter, a native from the Lechtal.

Holzgau. La peinture murale représentant des scènes architecturales et figuratives est une caractéristique de l'Ausserfern. La fraîcheur du coloris et la peinture décorative de cette maison de Holzgau donnent une idée des goûts esthétiques des habitants du Lechtal.

Holzgau. La cosidetta « Lüftelmalerei », cioè la pittura su facciate di case rappresentanti soggetti figurali ed architettonici è una caratteristica dell'Ausserfern. I colori freschi e lo stile decorativo e festoso di queste pitture su questa casa di Holzgau lasciano indovinare la dote artistica di questo pittore del Lechtal.

In diesen Tagen wurde im Weiler das Jungvieh „ausgetrieben". Da nun die Weide beginnt, muß es zuerst an Luft und Licht gewöhnt werden, besonders der Nachwuchs, der seit vorigem Sommer im Stall zur Welt gekommen und noch nie im Freien gewesen war. Die „Gassen" und Zaunwege müssen höfeweis durch Quergatter abgesperrt werden, und jeder Vorübergehende mag sich wohl in acht nehmen, denn in unbändiger Wildheit begehen die Jungrinder ihre neue Begegnung mit dem freien Tageslicht — ein wahrer Frühlingsopfertanz aus Urzeiten. Morgen werden diese Tiere schon auf die Weide kommen und ihrem Hirten noch manches zu schaffen geben, bis sie etwas gewöhnter und zahmer werden.

Jetzt, da schon die ersten Heckenrosen ihre dunklen Kleckse in die Wegränder malen, da der Flieder an den Hausgärten verblüht und das Dukatengold des Pippaus die steilen Weideplätze überzieht, jetzt heißt es selbst hier im Bergtal mit dem Frühling nochmals um die Wette laufen, hinauf in die Hochtäler, den steilen, luftigen Höhenkämmen zu. Dort kämpfen noch die Nachhuten des Winters, die schmutzigen Lawinenreste, die Schneemulden und die breiten, klaffenden Schneewächten entlang den Kämmen und Graten, jetzt als Bundesgenossen, nicht mehr als Feinde des Frühlings, da die Sommerhitze, ihr mächtiger gemeinsamer Feind, sie bedrängt. Dies Schauspiel zieht mich an, und ich steige, weglos, am jenseitigen Berghang der Flanke eines Hochtales zu, dessen breite, aus entlegenen Steinkaren herabkommende Wasserader zu verfolgen es mich schon so oft von meinen gegenüberliegenden Höhen aus gelockt hatte. Während eines kurzen Strichregens suche ich Unterstand in einer Holzhütte, die dem Rinderhirten unseres Weilers in diesem Monat als Obdach bei Schlechtwetter dient. Wie immer, lerne ich in solchem Gespräch mehr als aus Büchern und Vorträgen in der Stadt. Ich verstehe nun den komplizierten Turnus der Viehweide, durch den die Einwohner die Knappheit und Dürftigkeit der Weidegründe in diesen steilen Kalkschichten auszunutzen lernten, seitdem sich die ursprüngliche Anzahl von drei Bergbauernhöfen auf heute dreizehn, die unseren Weiler bilden, erhöht hat; ich verstehe die Aufteilung des Geländes zwischen den Kühen, die jetzt, im Vorsommer, früh ausgetrieben werden und abends heimkehren, und dem Jung- und Galtvieh, das bis zum Herbst keinen Stall mehr sieht; auch die tägliche Bewegung der beiden Herden hat ihren bestimmten Sinn und Rhythmus. Auch anderes erfahre ich; wie etwa der Tod von Söhnen im Kriege fast in jedem Haus durch ein besonderes Ereignis, einen Wachtraum, ein Tagesgesicht, eine Erscheinung sich angekündigt hatte, bevor die Nachricht eintraf; auch wie bösen Worten und bösen Wünschen oft eine unheimliche Kraft innewohnt. Auch andere Zeichen sind hier noch gang und gäbe, erzählte mir weiter der Hirte; so habe die Nachbarin gestern mitten unter der Arbeit plötzlich einen großen runden Blutstropfen auf dem Handrücken gehabt und fürchte nun einen Unglücksfall in der Verwandtschaft.

Nachdenklich quere ich den unwegsamen Steilhang weiter in dieses einsame Hochtal hinein, nachdem mich der Hirte noch ermahnt hatte, weiter drinnen im Seitentale auf das gefährliche „Abräumen" der Bergwiesen achtzuhaben, welches dieser Tage dort erst im Gange, während es auf den äußeren Hängen schon vorüber sei. Die steilen Grashänge werden nämlich bis hinauf zu den Kammhöhen genutzt. Es müssen deshalb alljährlich nach der Schneeschmelze diese Steilflächen „geräumt", d. h. von den Steinen und Erdklumpen und allem, was sonst der Winterschnee dort zurückläßt, mit Rechen gereinigt werden. Bei dieser Arbeit muß eine strenge Ordnung und Reihenfolge eingehalten werden, denn die steilen Grasstreifen gehören auch der Höhe, nicht nur der Breite nach, meist verschiedenen Besitzern zu. Es muß mit dem Räumen in den obersten Lagen begonnen werden und jede Arbeitspartie muß sicher sein, daß ober ihr schon geräumt ist. Ein schlecht geräumter Streifen ist in diesen Steillagen auch während des weiteren Jahres nur mit Lebensgefahr zu betreten, denn die Bewegung eines Vogels, ja ein Windstoß genügt, um einen Stein zu lösen, und nicht selten sind Unfälle durch Steinschlag von den Bergwiesen.

In der Fortsetzung meines unwirtlichen Weges komme ich in ein Stück frisch geholzten Hochwaldes. Zwei verwitterte Holzer riefen mir von weiter oben zu und warnten mich, meinen Quergang über die nächste Lawinenzunge fortzusetzen, denn drüben im nächsten Steilwald werde Holz getrieben und es sei heute schon etwas geschehen. Ich möchte gleich hier steil zum Bach absteigen, wo unten die frischen Holzlegen am Ufer aufgeschichtet sind. Dankbar befolgte ich den Rat und näherte mich nach einer Viertelstunde weglosen Abstieges den gewaltigen Legen; da erkannte ich, daß von der mittleren Lege nur mehr der obere Teil stand, das übrige war wie von einer Bombe zerschmettert und die schweren Holzkeile bis zum Bachufer hinab wie Zündhölzer verstreut; einige der Spalthölzer waren rot von frischem Blut, und im Bache steckte aufrecht, mit der Kante festgekeilt, der Holzkoloß, der einige hundert Meter hoch sich auf sein Opfer hinabgestürzt hatte.

Ein Achtundsiebzigjähriger sei es gewesen, der alte Traneler aus dem Nachbarweiler, der hier täglich die Tremmel spaltete und die Schnittkeile zu hohen Legen neben dem Bach schichtete. Vor zwei Stunden habe man ihn mit schwerer Kopfverletzung bewußtlos weggetragen. Heilig schien mir plötzlich der Boden, auf dem unschuldiges Opferblut ausgegossen war, und scheu verließ ich den Platz, um entlang dem jenseitigen Bachufer den hochgelegenen inneren Talgrund zu gewinnen. Bei schwüler Windstille erreichte ich über einige geröllbedeckte Talstufen einen lieblichen, fast ebenen Wiesenboden, in den von oben her einige Schneezungen herabgriffen, wie weiße Finger, die ihre Beute noch nicht loslassen wollen. Düster und feierlich säumten hohe Bergfichten, in dieser Höhe schon mehr einzelstehend und bis zum Boden hinab ihr Geäst ausbreitend, den freien Grasboden. Vor schiefergrauen Gewitterwolken hoben sich die noch fahlgelb leuchtenden Mauern des Steinkars ab. Ein plötzlicher Sonnenblick wirft für eine Minute noch einen Hauch von Farbe, Licht und Zartheit auf die Szene und läßt das Silber der weißen Bergranunkeln und das Blaßgold der hier noch in ihrer ersten Frische stehenden Frühlingsschlüsselblumen aufleuchten; indessen hat sich die abschließende Felsenkulisse verfinstert, und von ihr aus breitet sich drohendes Dunkel über diese kleine Welt. Bei Gewitterregen und Blitzschlägen trete ich den Rückweg an, hinaus, den angeschwollenen Talbach entlang, vorbei an der Stätte, die vom Blut des alten Mannes getränkt war. Die rote Farbe war durch den Gewitterregen schon verblaßt — bis morgen wird die blutige Spur verschwunden sein, und andere werden die zerstörte Lege wieder aufschichten.

Gottfried Hohenauer

Über den Fern

Pfingsten 1922 wanderte ich mit zwei Freunden zum erstenmal über den Fern. Seither bin ich einige Male im Auto hinüber und herüber; mit jeder Fahrt wurde der erste Eindruck blasser, unbestimmter, als verwischte das schnellere Reisen das Bild, das die erwanderte Landschaft so klar und bestimmt dargeboten hatte. Im Gebirge, das hinter jeder Wegbiegung ein anderes Gesicht zeigt, wo hundert Meter Höhenunterschied eine andere Welt auftun, ist das Auto zu rasch, zu ungeduldig, zu oberflächlich. Wir brauchten drei Tage zu einer Strecke, die mit der Maschine ein Nachmittagsausflug ist. Nirgends so wie im Bergland ist das Sehen, das Atmen und der Schritt eine untrennbare Einheit, und der kleine, brave Motor hinter den Rippen gibt unfehlbar das Zeitmaß an, in welchem sich die Bilder des Gebirges, die kleinen wie die großen, einverleiben lassen.

Auch die großen Frachtfuhren sind — vielleicht ein Jahrtausend lang — im Schrittmaß von Mensch und Zugtier über den Fern gegangen, von Imst das Gurgltal hinein bis Nassereith, wo noch heute die vielen Wirtshäuser für die Fuhrleute, die großen Ställe für den Pferdewechsel, an die langsameren Jahrhunderte erinnern.

Wir hatten in dem Dorfe genächtigt — in der Stube saß abends ein Tisch voll Bauern, die sich ihre Meinung in der Art der Oberländer laut und streitbar ins Gesicht sagten, in ihrer die Vokale oft lang hindehnenden, halb alemannischen, halb bajuwarischen Mundart, das R dunkel rollend, und zur Bekräftigung ihres Eigensinns von Zeit zu Zeit die Faust auf den Tisch trumpfend, daß es krachte. Der Morgen war trüb, das rechte Wetter zum Wandern. Eine steile Abkürzung ersparte uns ein Stück der kehrenreichen Paßstraße. Wir sahen zurück: viel Wald zwischen den enger und enger zusammenrückenden Talwänden; aber hinter dem Paßwirtshaus, wo es eine Weile eben wird, lag der erste See, weithin verzweigt mit langen, schattendunklen Buchten. Das Wasser stand hell- und dunkelgrün um die winzigen Inseln; jede trug einen kleinen Baumbestand, der sich in der glatten Fläche spiegelte, so daß es aussah, als schwebten sie zwischen Himmel und Tiefe im Unwirklichen. Und da mehrere solcher Seen um den Paß herum liegen, wiesengrün und spiegelglatt, aber volltrunken von den Schatten der Bäume, wird der ganzen Landschaft ein Schweben und Entrücktsein zuteil, das sie zum Traum vertieft.

Wir verließen die Straße hinter dem Paß und stiegen zum Blindsee hinab, der so stumm und reglos drunten lag, daß er mehr einem riesigen graugrünen Stein glich als einem See. Um ihn steigt allseits der Wald zur Höhe. Eine kleine sandige Zunge streckt sich ins Wasser hinaus. An ihrer Spitze draußen steht eine Föhre. Wenn ich nach einem Bild für die einsamste Einsamkeit suche, dann sehe ich diesen Baum vor mir: der hellgraue Sand, auf dem er steht, den Stamm ein wenig schräg dem graugrünen Wasser zugeneigt, das seine dunkle Krone reglos widerschattet, der weißgraue Himmel darüber, den kein Hauch bewegt. Von der Straße herab manchmal die Hupe eines Wagens, ein Ton wie aus einer anderen Welt.

Wir machten ein Feuer an. Es löste die Starre nicht, in die dieses Stück Erde wie durch einen Fluch gebannt war. Erst als wir ins Wasser gingen, zerbrach die Stille so plötzlich, daß wir erschraken vor dem frevelnden Lärm, den wir machten.

Am späten Nachmittag erreichten wir den Heiterwanger See. Es war schon mittags sonnig geworden, aber der Himmel war unruhig geblieben: kurze warme Regenschauer strichen nieder, bald gewitterhaft aus dem dunklen Gewölk, bald in besonnten Strichen schräg hinglitzernd über das farbige Land. Als wir auf dem kleinen Motorboot den Kanal durchfuhren, der den Heiterwanger mit dem Plansee verbindet, war über diesen von Ufer zu Ufer ein Regenbogen gespannt, so flach und niedrig, daß er einer wirklichen Brücke gleichsah, aber so feurig, daß sie im Entstehen schon zu verbrennen schien, und vor dem dunkelblauen Wolkenhimmel so farbenstark, daß sie das Grün der Ufer und die Tönung des Wassers unter dem Flammenbogen zu einem Bild zusammenschlossen, wie es wieder nur der Traum kennt. Seither ist in meiner Erinnerung das Außerfern wie verzaubert von der Leuchtkraft gewittriger Farben und in eine Zeit entrückt, in der die Maler ihre geträumten Berglandschaften weit draußen mit einem Regenbogen abschlossen.

Am Abend klarte es völlig auf, Reutte lag fast taghell im Mond der Mainacht, als wir uns gute Nacht sagten.

Wir benützten am nächsten Tag die Bahn nach Ehrwald und nahmen den Heimweg von hier aus durchs Gaistal. Ein wahrer Pfingstmorgen war angebrochen: die Bläue über uns voll feuriger Zungen, die Gebirge gelöst in Glanz und durchsonnte Feuchte, die Wiesen im schönsten Bergfrühling. Das Tal zieht zwischen den Mauern des Wettersteins und den Abstürzen der Mieminger Kette von Westen nach Osten, ist sehr still und abseits und führt über die waldgrüne Leutasch auf den Seefelder Sattel.

Auf halbem Weg steht eine dreihundert Jahre alte Kapelle zur Erinnerung an die Pestzeit, in der die Leutascher das Tal bis weit in die beiderseitigen Hänge hinauf mit einer Postenkette sperrten, damit keiner den Tod aus dem verseuchten Ehrwalder Gebiet herüber verschleppe. Die Ehrwalder machten damals jährlich eine Wallfahrt zur Heilig-Blut-Kirche bei Seefeld. Als sie in jenem Pestjahr singend und betend durchs Gaistal zogen, scholl ihnen plötzlich ein nicht mißzuverstehendes Halt entgegen, die Leutascher schlugen zur Bekräftigung ihres Kommandos die Büchsen an; die Wallfahrer sahen, daß man es blutig ernst meine, hielten ihre Andacht auf freiem Almboden ab, kehrten um und erbauten ein Jahr später die Kapelle, die heute noch die Pestkapelle heißt.

Wir hielten in der Nähe unsere Mittagsrast. Das kleine Feuer zwischen den Steinen kam nicht auf gegen das ungeheure im Blau droben, das die weißen Kalkwände herabloderte und, wenn der Wind unser langes Schweigen unterbrach, in kleinen Silberflammen über das Berggras lief. Die Schöpfung goß das Pfingstfeuer ihres Geistes aus, und alles Lebendige ringsum schien in Zungen zu reden, die wir plötzlich verstanden.

Josef Leitgeb

Fernstein

Fernstein! Es steht mir heute noch lebhaft vor Augen, wie ich vor bald fünfzig Jahren zum erstenmal seiner ansichtig wurde. Es war auf einer einsamen Fußwanderung, die mich von Füssen her nach Reutte und durch Zwischentoren zum Fernpaß brachte. Schon die herrlichen Farben und die weltvergessene Ruhe des Weißen- und des Blindsees hatten mich zutiefst beeindruckt. Und nun saß ich jenseits des Passes etwas unterhalb der Straße und blickte auf die waldige Senke nieder und auf den See. Aus seiner smaragdgrünen Flut ragte ein Waldhügel mit der Ruine der Sigmundsburg empor, und das ganze tief in die Berge eingebettete Landschaftsbild erschien mir derart mit Romantik geladen, daß ich mir vor Seligkeit kaum zu helfen wußte.

Seitdem habe ich auch die Ruine der Sigmundsburg wiederholt besucht, von der ihr Historiograph Heinrich Hammer schreibt: „Inmitten der stillen Waldlandschaft des träumerischen Sees aus dunklen Bäumen ragend, von den Erinnerungen einer farbenreichen Vergangenheit umhaucht, in ihren edlen Bildungen Zeugin einer kunstbegnadeten Zeit, übt die Ruine einen wundersamen, unwiderstehlichen Zauber aus."

Herzog Sigmund hat den Bau des kleinen, dreigeschossigen Lustschlosses, dessen Ecken mit runden Erkertürmen besetzt waren und das im Erdgeschoß und im ersten Stockwerk je einen Saal und außerdem verschiedene Kammern enthielt, kurz vor 1462 begonnen.

Von der Kapelle, die an der östlichen Schmalseite der Burg mit polygonalem Abschluß vorspringt, und deren Quadern eine besonders feine und sorgfältige Steinmetzarbeit zur Schau tragen, geht 1483 zum erstenmal die Rede. Der Herzog hat ihre Vollendung nicht erlebt, und da sie nach dem Bericht des Pflegers Asam Vogt und des Hofmalers Jörg Kölderer noch 1519 ohne Gewölbe war, ist sie vielleicht überhaupt nie vollendet worden. Auf jeden Fall bilden die hochaufragenden Reste der Kapelle mit ihren schönen Quadern, Pfeilern und Spitzbogenfenstern, so baufällig sie hersehen, den weitaus schönsten und eindrucksvollsten Teil der Burgruine.

Herzog Sigmund war zwar ein leichtsinniger und verschwenderischer Fürst, dabei aber ein liebenswürdiger Herr, ein großzügiger Freund der schönen Künste und ein ausgesprochener Romantiker. Darum hatte er auch ein offenes Auge für den ungewöhnlichen landschaftlichen Reiz von Fernstein und stattete sein Lust- und Jagdschlößchen und vor allem die Kapelle mit aller zierlichen Formenschönheit der spätgotischen Steinmetzkunst aus, wie ja auch die gewaltigen Wehrbauten in Sigmundskron bei aller Rücksichtnahme auf den fortifikatorischen Zweck auf Schritt und Tritt den erlesenen Kunstsinn des Bauherrn verraten. Seit 1462 hat der Herzog, sei es auf der Jagd, sei es bei anderen Anlässen, sehr oft hier geweilt, und bei seiner bekannten Schwäche für das schöne Geschlecht wird man ihm mit der Annahme, daß sich auf der romantischen Sigmundsburg manches galante Abenteuer abspielte, kaum Unrecht tun. Auf jeden Fall erhielt einer seiner vielen urkundlich nachweisbaren illegalen Nachfahren den Namen Fernsteiner. Aber auch seine erste Gemahlin, Eleonore von Schottland, wohnte wiederholt im urkundlich bezeugten „Frauenzimmer" der Burg, und seiner zweiten Gemahlin, Katharina von Sachsen, verschrieb er die reizende Inselburg unter anderem als Witwengut.

Nach seinem Tode (1496) geriet jedoch die Burg, die seit etwa 1600 auch vom Pfleger verlassen wurde, sehr bald in Verfall und wurde mit dem Wald, dem bißchen Feld und mit dem Fischereirecht auf dem See dem jeweiligen Pfleger und Zöllner auf Fernstein als Pfandschaft verliehen.

Nun rauscht der Wald durch die leeren Fenster, aus denen man ebenerdig und im ersten Stock noch die Löcher für die einstigen Gitterkörbe sieht, und die Verse Eichendorffs kommen einem in den Sinn:

> „Draußen ist es still und friedlich,
> alle sind ins Tal gezogen,
> Waldesvögel einsam singen
> in den leeren Fensterbogen."

Herzog Sigmund hat beim Bau seiner Burg keinerlei militärischen Zweck verfolgt. Im übrigen war Fernstein lange vor seiner Zeit schon befestigt. Die ursprüngliche Straße lief in der Tiefe der Wälder neben den beiden Seen hin und überschritt den Sperriegel des Passes nicht am westlichen, sondern am östlichen Ende. Die als Römerweg bezeichnete Straße ist als markierter Waldweg heute noch erhalten.

Links über dem Fernsteinsee stand ein seit 1300 urkundlich nachweisbarer Turm, dessen Ruine noch vorhanden ist; von ihm lief eine in der oberen Hälfte noch bestehende Sperrmauer bis zum See hinunter.

Um die Mitte des 16. Jahrhunderts wurde die Straße an die westliche Bergflanke verlegt; sie mußte vielfach in die Felsen gesprengt und auf der abschüssigen Talseite hin und hin durch Stützmauern gesichert werden — ein kostspieliges und technisch sehr beachtenswertes Werk, dessen Anlage mit Recht durch eine heute im Ferdinandeum befindliche Bronzetafel mit den Brustbildern Karls V. und Ferdinands I. verewigt wurde. Seit der Erbauung dieser im Jahre 1856 vollendeten, in neuester Zeit auch dem modernen Autoverkehr angepaßten Betonstraße wurde die kürzere, aber steilere „alte Straße" nur von Fußgängern begangen und nicht mehr instand gehalten, bis sie schließlich Felsstürze unbenützbar machten.

Für einen Wanderer, der genügend Zeit hat, ist es auch heute noch ein rechtes Vergnügen, auf dem waldumrauschten „Römerweg" oder auf der „alten Straße" des 16. Jahrhunderts versunkenen Zeiten nachzusinnen. Freilich muß er in Kauf nehmen, daß seine motorisierten Zeitgenossen ihn als ein Relikt aus der vergangenen Zeit anstaunen, denn er muß dabei ein Stück weit auf der heutigen Autostraße marschieren, wo er unzähligen Autobussen, Lastern und Personenwagen, Motor- und Fahrrädern, aber keinem einzigen Fußgänger mehr begegnet. Wohl könnte er sich auf König Ludwig II. von Bayern berufen, der den zauberhaften Reiz von Fernstein ebenfalls zu würdigen wußte; er ließ sich im dortigen Wirtshaus, das heute noch zu empfehlen ist, zwei fürstliche Zimmer einrichten, eines in Rosa, eines in Blau, um in winterlichen Vollmondnächten — in einem Prunkschlitten und von Fackelträgern in Rokokotracht begleitet — herzufahren und auch sonst wiederholt hier Aufenthalt zu nehmen.

Josef Weingartner

Kalkkögel, Stubaier Alpen. Unvermittelt und gegensätzlich erheben sich, nur wenige Kilometer von der Stadt Innsbruck entfernt, die Kalkkögel. Unter diesem Namen sind sie Bergsteigern und Kletterern ein Begriff.

Kalkkögel in the Stubai Alps. Contrasting with the nearby city of Innsbruck, the Kalkkögel rise abruptly above the valley. They are well known to mountaineers and climbers.

Les Kalkkoegel dans les Alps du Stubai. Ces monts calcaires, bizzarres et plein de contrastes, se dressent à quelques kilomètres d'Innsbruck. Pour les alpinistes et les rochassiers, c'est une notion très concrète.

I Monti Calcarei (Kalkkögel), Alpi di Stubai. In modo improvviso e contrastante si sollevano a pochi chilometri da Innsbruck. Essi sono ben noti agli alpinisti e scalatori.

Hall im Abendlicht. Vor der breiten Wand des Bettelwurfs (2725 m) liegt das Panorama der alten Salinenstadt mit den verschiedenartigen Kirchtürmen und dem runden Münzturm ausgebreitet. Vorne die Zubringerbrücke zur Inntal-Autobahn.

Evening in Hall. At the foot of the broad, rocky wall of the Bettelwurf (7200 ft) lies the old salt mining town of Hall. Several church towers, the mint tower and, in the foreground, the new bridge leading to the Autobahn enliven the panorama.

Hall au crépuscule. C'est devant la large paroi du Bettelwurf (2725 m) que s'étend le panorama de la vieille ville des salines, avec ses nombreux clochers et la Tour de Monnaie, une tour ronde. A l'avant-plan, le pont de raccordement de l'autoroute de la vallée de l'Inn.

Hall nella luce di sera. Davanti alla parete ripida del Bettelwurf (m 2725) il panorama della vecchia città di saline si offre alla vista coi suoi svariati campanili ed il suo Münzturm. In primo piano si vede il ponte di collegamento con l'autostrada dell'Inntal.

Am Fuß
des Bettelwurfs

Lob einer Stadt

Wer sich Innsbruck und damit der Landesmitte — sei es im Zug, sei es im Wagen — vom Osten nähert, hat bei klarer Sicht schon lange ein schönes Bild vor sich: In den Hintergrund der breiten Schneise, die das Inntal zwischen Kalk- und Uralpen legt, schiebt sich von Süden her eine mächtige Bergkulisse ein, ein Gewimmel schnee- und eisbedeckter Gipfel unter zackigen Graten, eine erste Aussicht in das Tiroler Oberland. Da taucht vor der fernblauen Silhouette eine alte Stadt vor dem Reisenden auf: Hall in Tirol.

Die Stadt liegt auf einem der großen Aufschüttungskegel, die das Karwendel gegen den Inn hinabschickt, und hat einen weiten Raum um sich, denn das bewaldete Mittelgebirge im Norden weicht hier zurück, die Kammlinie der klippigen Kalkberge schwingt leicht gegen Nordwest ein, flußaufwärts reicht der Blick bis zu den Ötztalern, und auch im Süden fallen die Uralpen mit vergleichsweise sanften Hängen weit zurück, zwischen sie und das Tal schiebt sich ein mäßig hohes, breites Plateau. So liegt Hall in der Mitte einer weitausschwingenden Gebirgsszenerie, knapp über dem Talgrund, doch nicht am Inn; freilich, die Stadt blickt zum Inn hinab, zu dem sie auch ihre Vorwerke entsandte. Heute läuft zwischen ihr und diesen die lebhaft frequentierte Bundesstraße 1, unterhalb der Altstadt zum „Unteren Stadtplatz" verbreitert.

Hall gehört, wie alle Städte in diesem Raum, dem Typus der Inn- und Salzachstadt an: ihre aus Stein gefügten Häuser sind eng aneinandergebaut, haben vorwiegend gotischen Charakter, die meisten sind zwei-, viele dreistöckig, hochgezogene Blendmauern verbergen die Dächer. Die Fassaden sind in zahllosen Erkern ausgeschöpft. Die Stadt bildet ein Oval, die äußeren Häuserzeilen folgen der alten Befestigungslinie, sind in diese hinein- oder aus ihr hervorgewachsen. Tore und Wehrtürme sind gefallen, die meist gekrümmten Gassen sind eng und führen wie Schluchten in das Innere der Stadt hinein und hinauf.

Schön ist der Blick von unten gegen die bergwärts gestaffelten Fronten. Eine steile Gasse, der „Lange Graben", führt vom Unteren zum Oberen Stadtplatz hinauf. Dieser ist sicher eine der schönsten Bauanlagen von Tirol: er überrascht durch die Vielfalt der Elemente, die hier verschmolzen sind, und durch das architektonische Ingenium, das sich an ihr durch Jahrhunderte bewährt hat, obgleich oder gerade weil es durchaus absichtslos gewirkt zu haben scheint: nicht einmalige Planung schlägt vor, sondern organische Zusammenstimmung des nach und nach Gewordenen. Ich möchte die städtebauliche Idee dieses Platzes einer genaueren Analyse unterziehen.

Dabei ist zuerst einmal zu überlegen, welche natürlichen Bedingungen vorlagen, ehe der Mensch den Ort zu gestalten begann. Wir befinden uns hier knapp über dem Geländeknick, von dem der breite, sanft geneigte Schuttkegel des Weißenbaches in einer letzten Stufe zum Talgrund abbricht. Die Stufe weist hier eine Buchtung auf, in der eine Rinne niedergeht: ein kleiner Bach mag sie ausgewaschen haben. Offenbar hat sich der Mensch am oberen rechten Ansatz dieser Rinne zuerst festgesetzt: hier sind die ältesten Fundamente erhalten, die Krypta eines Kirchleins. Wahrscheinlich war es der Eckpunkt einer Mauer, die gegen die Rinne abgestützt war. Denkbar, daß ein Hohlweg durch sie heraufleitete: wo er den Geländeknick erreichte und ins Ebene ausläuft, bot sich Platz, Markt zu halten. Über die erste Entwicklung des Ortes wissen wir wenig, doch muß sie rasch fortgeschritten sein. Zuerst wurde der Ort als zum Gemeindegebiet des benachbarten Dorfes Thaur gehörend geführt. 1288 aber wurde er selbständig und erhielt das Marktrecht, 1303 schon das Stadtrecht. Hinter dem erwähnten ältesten Kirchlein war zuvor schon die größere St.-Nikolaus-Kirche errichtet worden. Man war also eifrig dabei, die Kernanlage der heutigen Stadt auszugestalten: der erste Siedlungsplatz erwies sich als günstig gelegen, er ist auch heute noch das Herz der Stadt. Sieben Gassen führen auf ihn zu, er legt sich etwa in Hufeisenform um den Ansatz der kleinen Rinne, die heute als „Langer Graben" eine enge schluchtartige Gasse bildet. Rechts dominiert die gotische Pfarrkirche, noch immer dem heiligen Nikolaus geweiht. Aber links hält ihr die Ostseite des Marktplatzes mächtig Gegengewicht. Er liegt zwar gegen Süden offen, aber ein kompakt wirkendes Patrizierhaus gibt, kräftig vorgezogen, dem Raum Halt wie ein Pfeiler. Den Abfall des Langen Grabens fängt das schmal wie ein Schiffskörper vorstoßende „Stubenhaus" auf und leitet mit seiner hochgezogenen und zinnenbestückten Dachlinie zum Aufschwung des hohen Kirchturms und des steil geneigten Kirchendaches hinüber. Die aufgetürmte Wucht des Hallenbaues wirkt jedoch nicht direkt in den Platz hinein: hier ist eine besonders glückliche architektonische Lösung gefunden worden, indem man nämlich St. Nikolaus mit einem ovalen Kranz von Kapellen und niedrigen budenartigen Bauten umgab und so den Platz von der Kirche einesteils isolierte, andernteils ihn mit ihr verband. Der Blick fängt sich an den zum Teil spielerischen Barockformen und läßt sich von ihnen willig zu den hohen Wänden und gewaltigen Dachschrägen der Kirche, zu ihrem ragenden Turm emporleiten. Auch der monumentale Würfel des Rathauses gewinnt durch sie, er schiebt sich, im Westen Halt gebietend, wie ein Schlußstein in den Platz ein.

Um die St.-Nikolaus-Kirche schwingt ein freier Raum, der ehemalige Stadtfriedhof, am Rathaus vorbei, unter der Pfeilerhalle des Hauptportals hindurch, die Südflanke der Kirche entlang und um die Apsis herum: ein stiller, unbelebter Bereich: hier öffnet sich die Pforte zur uralten Magdalenenkapelle, derselben, deren Krypta das erste noch erhaltene Mauerwerk der Stadt darstellt: ihr Inneres, als Heldengedenkstätte ausgestaltet, ist mit Fresken geschmückt — eines aus dem späten dreizehnten Jahrhundert zeigt die Vision des Jüngsten Gerichts.

Etliche Treppen führen aus dem hochgelegenen Friedhof hinab in die untere Stadt, sehr reizvoll durch allerlei Winkelwerk, winzige Terrassengärtchen, über die kleine, wacklige Brücken hängen. Ein steiler, dunkler Stiegenschluff taucht in den Langen Graben hinab. Ein paar bequeme flache Stufen unter einem barocken Giebelbogen geben Ausgang auf den Oberen Stadtplatz. In diesen Zugängen spiegelt sich die soziale Struktur der alten Stadt: in ihrem unteren Teil wohnte das gewöhnliche Volk, es hatte sich auf steilen, gewinkelten Wegen zum Gotteshaus zu begeben; oben wohnten die Patrizier, ihnen öffnete sich freundlich das geschmückte Tor.

Kehren wir noch einmal auf den Oberen Stadtplatz zurück! Fragen wir uns, worin sein besonderer Zauber besteht, so müssen wir uns sagen, daß er das Gefühl vermittelt, in ihm drücke sich auf ganz einzigartige Weise das Wesen des Städtischen aus als einer lebendigen Ganzheit, die ein Gemeinwesen doch allemal darstellt. Legen wir uns die Elemente auseinander, die an ihm gebaut und gestaltet haben: Da ist der bürgerliche Geist der Markthalter, das profane geschäftige Leben, das den Ostteil innehat. Auch hier wird heute noch Markt gehalten. Es gibt geräumige Gasthöfe, lebhaft frequentierte Geschäfte, Handels- und Handwerkergeist strahlt sternförmig in sechs schmale Gassen aus, der Alltag durchkreuzt den Platz in rasch pulsendem Tempo. Die Westseite dagegen wird durch das behördlich-magistrale und am mächtigsten durch das sakrale Element bestimmt: beide spielen in eins: das steilgetürmte Dach des Rathauses fängt die hohe Schräge des Kirchendaches ab, der ummauerte Vorhof, der den Aufgang zu den Ratsstuben abschirmt, korrespondiert mit dem Kapellen- und Mauerriegel, der die Kirche umfängt.

Von ihr aber geht eine konzentrierte spirituelle Wirkung aus. Drei Sphären also: die bürgerlich-profane, magistrale und sakrale durchdringen einander in der Anlage, scheren ineinander über und verleihen dem Platz das Charakteristikum der Lebens-Ganzheit, in der sich jede private Existenz und — als Summe — ein Gemeinwesen zu bewähren hat: lebhafte Tätigkeit im täglichen Erwerb, Kontrolle durch das Gesetz und die magistrale Ordnung, Einmündung in die hohe Welt der Religion.

Hier wäre noch eine Einzelheit zu erwähnen: der kleine Brunnen, der etwa im optischen Schnittpunkt der drei Sphären steht und einen vorzüglichen Akzent setzt: über das runde, ziemlich hohe Brunnenbecken erhebt sich eine Säule mit einer kleinen gekrönten Madonna. Seinem Zweck nach gehört der Brunnen dem Markt und dessen Bedürfnissen an, seine ästhetische Funktion weist auf die Kirche hinüber. In ihrer Säule klingt die große Vertikale des Kirchturms an, in der Krone der Maria die heitere Barockzwiebel der St.-Joseph-Kapelle, in dieser wieder die Turmhaube der St.-Nikolaus-Kirche. Die kleinere Form bereitet jeweils die größere vor, alle drei verbinden sich zum vollen Akkord. Dagegen wirkt der Rathausblock wie eine Echowand, von der der Dreiklang harmonisch zurückschwingt.

Noch eine weitere Einzelheit: der Westtrakt des Rathauses, eine unverletzte gotische Fassade, hinter der Stadtarchiv und Museum untergebracht sind — die kräftig-deftigen Formen des bürgerstolzen Osttraktes sind hier ins Aristo-kratisch-Noble, Melancholische abgeklärt. Zwei spätgotische Wappentafeln und ein seltsamer insektenhafter Roland aus derselben Zeit fügen sich der Wand wunderbar ein.

Nun ins Innere der Kirche. Sie ist ein hoher, dreischiffiger Hallenbau, spät-gotisch, durch barocken Schmuck ins Heitere aufgelockert. Merkwürdig berührt, daß die Achse der Apsis von der des Kirchenschiffes abweicht und nach rechts gewinkelt ist. Die Gründe dafür liegen in der Baugeschichte; sie spricht von Platzmangel, der bei einem Erweiterungsbau aufgetreten sei. Doch ist hier aus der Not durchaus eine Tugend geworden, von dem zarten Bruch in den schema-tischen Verhältnissen des Grundrisses geht eine geheimnisvolle irrationale Wirkung aus. Die Apsis scheint entrückter, einer anderen Raumordnung anzu-gehören. Unwillkürlich vergißt man die sachlichen Fakten, die die Baugeschichte für das merkwürdige Phänomen angibt, und erinnert sich lieber der Erklärung, nach der hier durch die geknickte Achse das geneigte Haupt des gekreuzigten Christus dargestellt werden sollte.

Die barocken Fresken und Stukkierungen sind in heiteren Rosa- und Goldtönen gehalten, die figurenreichen Medaillons sind sogar nach der neuesten Restaurierung von anmutigem Reiz. Der späte Schmuck hat dem gotischen Bau kaum etwas von seiner reinen Kraft nehmen können. Das achtzehnte Jahrhundert ist hier nicht — wie in so vielen anderen Kirchen — mit kalter Repräsentationskunst eingebrochen; es hat zwar das strenge Netzgewölbe zerstört, hat aber mit seinen malerischen Phantasien kindlich, innig und erheiternd einen Chor überschwenglich seliger Geister zwischen die Pfeiler projiziert.

Im linken Seitenschiff ist ein Altar mit einem schönen schmiedeeisernen Gitter umgeben. Es ist eine Stiftung des Ritters Florian von Waldauf, von dem uns die Chronik erzählt, er habe sich vom einfachen Hüterbuben zum Ritter des Goldenen Vlieses und zum vertrauten Freund Maximilians I. heraufgedient. Die Stadt bewahrt diesem Mann ein gutes Angedenken, denn er hat sie mit einer Reihe überreicher Stiftungen bedacht. Wenig davon ist übriggeblieben: zu dem Wenigen gehört das herrliche Gitter, das mit seinen vergoldeten Rosen, Wappen und Turnierhelmen für die versponnene Romantik des Auftraggebers Zeugnis gibt. Von einer Unmenge Reliquien, die der Waldauf für die Haller Pfarrkirche zusammentrug — in der Urkunde ist von etlichen Tausend die Rede —, sind noch einige wenige Gebeine vorhanden: sie ruhen in gläsernen Truhen auf bestickten Kissen und halten Wache über der einfachen Grabplatte, unter der sich der fromme Mann bestatten ließ. Im Kirchenschatz findet sich auch noch die gotische Waldauf-Monstranz, ein wahres Glanzstück, über einen Meter hoch: sie wird nur an den höchsten Feiertagen gezeigt. Auch ein Flügelaltar von Pacher gehörte einst zur Ausstattung der Kapelle: er wurde im Zug der Barockisierung der Kirche entfernt, zerlegt. Zwei Tafeln nahm das Stadtmuseum auf, nur die Mittelfigur ist der Kirche geblieben, geht aber im funkelnden Formenschwall eines barocken Altars beinahe unter: eine erhabene Gottesmutter von milder Majestät.

Soviel über die Kirche. Zurück ins Freie: Wir wandern den alten Pfaffenbühel hinab zur Nagglburg, einem rührend windschiefen Häuschen mit winzigen Fenstern und wackliger Altane: seine Physiognomie hat unzählige Maler zum Konterfei gereizt. Ein Weg durch die Schmiedgasse: hier sind noch Hufschmiede zu Hause und treiben ihr Handwerk im Freien. Und weiter führt uns der Weg durch altersgraues Gewinkel. Die Gassen sind eng, die Häuser schmalbrüstig hoch, in die Tiefe gebaut, lichtlos die Spindeltreppen, halsbrecherisch schmal die steilen Staffeln, und, wo sich ein Lichthof öffnet, ist er eng wie ein Kamin. Es muß schwer sein, hier zu hausen, sein Leben hier zu verbringen in den Stuben, in die nie ein Sonnenstrahl dringt, in den unbelichteten Fluren, in den Küchen, die kein Fenster ins Freie haben. Lange sitzt die Winterkälte in den dicken Mauern, dumpfe Kellerluft weht aus den Wohnungen. Aber, zum Glück, die Altstadt ist klein, ein paar Schritte und man tritt aus dem Gewinkel ins Lichte und Freie: da ist ein kleiner Park am Rathaus, dort ein Kinderspielplatz, drüben der Kurpark, und eine mächtige Kastanienallee läuft den „Graben" entlang in weitem Bogen um das Steinlabyrinth der Häuser.

Einen zweiten größeren Platz hat die Stadt in ihrem Ostteil, eine Anlage aus der barocken Zeit, in der nicht sosehr der Bürger als der Adel und die Kirche, in diesem Fall die mit dem Kaiserlichen Haus verbundene Hocharistokratie und der Jesuitenorden, den Ton angaben. Hier hat man geplant und Raum geschaffen, um „unter sich" zu sein: palaisartige Bauten umgeben einen langgestreckten Platz, zwei Kirchen sind in die Fassaden eingeschoben, die Kirche der Patres von der Sozietät Jesu und die des Adeligen Damenstifts. Ihnen gegenüber die „Lateinschule", heute die Knabenvolksschule, die den hübschen Stadtsaal beherbergt. Nun freilich: aus dem Jesuitenkloster wurde später eine Kaserne und noch später eine Schule; auch das Adelige Damenstift wurde bald aufgelöst und ist jetzt die Bleibe eines Frauenordens strengster Observanz. Dennoch ist der aristokratische Charakter des Platzes gewahrt geblieben, der genius loci ist offenbar nicht so leicht zu vertreiben. Handel und Wandel haben sich hier niemals recht heimisch machen können. Wenn nicht gerade die Jugend aus dem Schultor lärmt, ist immer noch etwas von jener Stille zu spüren, in der die strenge Innerlichkeit der Gegenreformation gedieh und in die sich die höfische Zucht exklusiver Kreise zurückzuziehen liebte.

Nun lassen wir die Altstadt hinter uns und sehen uns ihre Umgebung an. Wie überall, ist hier im vorigen und vor allem in unserem Jahrhundert eifrig gebaut worden, leider manchmal auch planlos. Zugegeben, daß in den letzten Jahren Ansätze zu städtebaulicher Gestaltung erfolgten. Verhältnismäßig erfreulich heben sich Kurhaus und Kurhotel hervor. Was Hall trotz allem anderen Städten voraus hat, ist dies: immer wieder trifft man in seiner Umgebung auf größere, meist ummauerte Komplexe, Klöster und Adelssitze, meist schon in der Barockzeit angelegt: diese Komplexe verleihen auch der neueren Stadt eine gewisse Struktur: man wandert gern den alten Mauern entlang, hinter denen man hier ein altes Walmdach, dort eine schöne wipfelstarke Baumgruppe auftauchen sieht. Alte Mauern haben nichts feindlich Abweisendes. Sie regen die Phantasie an, sich vorzustellen, was hinter ihnen liegt, und es stellen sich freundliche Bilder ein. In der Tat liegt hinter einer dieser Mauern ein kleines bukolisches Paradies: ich meine den Faistenbergergarten im Osten der Altstadt. Er schließt an den alten Stadtgraben an, der sich hier hinten dem ehemaligen Jesuitenkloster zur Talsohle hinabzieht. Der Garten gehörte ehemals zum Adeligen Damenstift; in ihm haben sich die vornehmen Fräulein zur Promenade, aber auch zu Tanz und Spiel eingefunden. Obgleich er heute zum größten Teil als Gemüsegarten genutzt wird, geht noch immer ein zarter melancholischer Zauber von ihm aus. In seinem Südteil erhebt sich das Ballspielhaus, der große Lustsaal des Stifts, heute leider verödet und nur notdürftig erhalten. Reizend ist seine kleine Portaltreppe zwischen den schmiedeeisernen Geländern, die bröckligen Stufen sind von Efeu übersponnen. Ein französischer Park en miniature schließt sich mit gestutzten Boskelten an. Rührend ist der kleine Springbrunnen in der Mitte, rührend die winzigen Kapellchen und die Chinoiserie der hölzernen Gartenhäuschen — einige mußten leider wegen Baufälligkeit abgerissen werden. Vor wenigen Jahren noch gab es hier einen kleinen reizenden Fischweiher und ein original barockes Glashaus, dieses ist einem Brand, jener der Unterhöhlung des Areals zum Opfer gefallen: man baute in der Kriegszeit unter dem Faistenbergergarten einen Schutzstollen aus. Wer den Inn überquert und den Weg gegen den Weiler Kreuzhäusl einschlägt, gewinnt einen herrlichen Blick. Vor ihm liegt das ganze Tal ausgebreitet. Wie eine große Kristalldruse hebt sich die Altstadt von dem regellosen Geschiebe der neuen Viertel. Drei Türme überragen sie: der mächtige von St. Nikolaus, der männlich ernste der Jesuitenkirche, der eher weiblich verspielte der alten Damenstiftskirche, ein herrlicher Dreiklang, zwei Tenöre und ein Mezzosopran; ihnen gesellt sich noch der Baß des bärbeißigen Münzerturmes.

Hall ist noch immer eine gotische Stadt, sie ist es auch in ihrer inneren Struktur. Man lebt hier mehr in die Vertikale als anderswo — das heißt: mit dem Blick zum Himmel. Die Kirchengemeinde ist die eifrigste von Österreich. Das städtische Leben gipfelt in den kirchlichen Festen: der Palmenweihe und der Fronleichnamsprozession.

Wenn sich bei dieser am festlich geschmückten Oberen Stadtplatz eine unabsehbar vielköpfige Menge beim letzten Segen zusammenschart, die Bergknappenkapelle das Tiroler Weihelied intoniert, die Speckbacherschützen Salut schießen, wenn sich die alten Zunftzeichen um den Altar scharen und die Fahnen dem Allerheiligsten voran in die Kirche einziehen, fühlen sich diese Menschen alle miteinander doch wie eine große Familie; eine Familie auch mit allen jenen, die vor ihnen, die Jahrhunderte entlang, in dieser selben Stadt gelebt, gefeiert und gebetet haben. Sie können in diesem Augenblick vergessen, was ihr tägliches Leben ausmacht, inwiefern die neue Zeit an ihnen teilhat, welchen Tribut das Weltläufige, Technische und Kommerzielle von ihnen fordert. Sie ahnen aber vielleicht auch, daß Verwandlungen nicht nur geduldet, sondern vielmehr als Anverwandlungen geleistet werden sollen. Denn: wo ein Baum mit festen Wurzeln in gutem Erdreich steht, hat er nicht nur die Kraft, Jahr für Jahr neue Ringe anzusetzen, sondern auch Biegsamkeit genug, seinen Wipfel vom Wind formen zu lassen, woher dieser auch wehe.

Gertrud Fussenegger

Fremma kemm

schtrooße isch girichtn worn
in schupfe honse gimiaßt otrogn
mussigpawillion honse augirichtn
noie tiarschtecke
noie fenschtaschtecke sein
in hause inkemm
kiche und in schtiwilan giweißt

tenn und laawe
kammolan und zimmo
in fuitohause ausgibauit
noie bötte
noie kaschte
schtroom wossoo
pische in solda pan tore
fremma kemm

Gert Aychwalder

Straße ist gerichtet worden   die Schupfe haben sie müssen abtragen   Musikpavillon haben sie aufgerichtet   neue Türstöcke   neue Fensterstöcke sind ins Haus hineingekommen   Küche und Stübele geweißt   Tennen und Labn   Kämmerlein und Zimmer   im Futterhaus ausgebaut   neue Betten   neue Kästen   Strom   Wasser   Blumen am Sölder   beim Tor   Fremde kommen

Mils am Abend. Die Feldarbeit ist getan. Stimmungsvolles dämmriges Abendlicht liegt nun über der kleinen Ortschaft Mils. Der landschaftliche Gegensatz von der Ebene des Inntales und der steilen schneebedeckten Bergwelt der Nordkette übt einen besonderen Reiz auf den Betrachter aus.

Evening in Mils. The work in the fields is done. The little village is bathed in dusky evening light to which the contrast between the flat valley bottom of the Inn and the snow-covered mountains of the Nordkette adds a specific charm.

Le soir à Mils. Le travail des champs est terminé. Le crépuscule tombe sur le petit village. Le contraste entre la plaine de la vallée de l'Inn et les montagnes enneigées de la Chaîne Nord exerce un charme tout particulier sur le promeneur contemplatif.

Mils di sera. Il lavoro sui campi è terminato, la luce crepuscolare suggestiva si sta espandendo sul piccolo villaggio di Mils. Il contrasto fra la pianura dell'Inntal e la regione ripida e coperta di neve della Nordkette esercitano un fascino particolare sull'osservatore.

Volders. Karlskirche. Zu den eigenartigsten Gotteshäusern zählt der manieristisch anmutende Barockbau mit dem reliefartig ornamentierten Turm der Karl-Borromäus-Kirche, die nach Plänen des Haller Arztes Dr. Guarinoni 1620 bis 1645 (Turmobergeschoß 1737) errichtet wurde.

Volders, St Charles' Church. This highly original Baroque church with its peculiar ornamentation, dedicated to St Charles Borromeo, was designed by Guarinoni, a physician in Hall.

Volders, Eglise Saint-Charles. Avec son clocher aux ornements en relief, l'Eglise Saint-Charles Borromée est un remarquable monument architectural du Baroque dû à le Dr Guarinoni de Hall. Elle fut construite de 1620 à 1645, l'étage supérieur du clocher date de 1737.

Volders, Karlskirche. Quest'opera in stile barocco, non priva di un certo manierismo, col suo campanile decorato di rilievi dipinti, è una delle chiese più caratteristiche. È stata costruita secondo i progetti del medico di Hall dott. Guarinoni negli anni 1620–1645 (La parte superiore del campanile è del 1737).

Das kleine Himmelreich

I

Bienensang und Sonnentau,
Ohn' End ist der Himmel blau.
Goldklee und Kamille,
Die Welt ist tief und stille.

Thymian und roter Mohn,
So war es immer schon,
Rosen und Reseden,
Im kleinen Garten Eden.

II

Türkenbund und Schellentroll,
Das Wieslein ist der Blumen voll,
Silbergras und Perlmoos,
Und schmücket aus der Erde Schoß.

Enzian und Ehrenpreis,
Die Sternlein gehen um mit Fleiß,
Bittersüß und Kümmel,
Und loben Gott im Himmel.

III

Augentrost und Waldvöglein,
Vom Himmel schaut der Mond herein,
Erdrauch und Braunelle,
Zum Rehlein an der Quelle.

Silberfarn und Seidelbast,
Das Bienlein hält nun endlich Rast,
Weiderich und Rade,
An seinem luft'gen Pfade.

IV

Männertreu und Wiesenschaum,
Es ist doch alles wie im Traum,
Wegerich und Winde,
Im Haus der alten Linde.

Goldrütlein und wilder Wein,
Die Nachtigall kommt auch herein,
Heidekraut und Schlehe,
Und lobet Gottes Nähe.

V

Vergißmeinnicht und Anemon,
Das junge Nüßlein regt sich schon,
Knabenkraut und Klette,
In seinem grünen Bette.

Frauenschuh und Herzgespann,
Man weiß nicht, wie das enden kann,
Nelken und Narzissen,
Das macht das tiefe Wissen.

VI

Nachtschättlein und Rosmarein,
Nun darf dich Kind im Rosenreih'n,
Tulpen und Margriten,
Der Mond zum Schlafe bitten.

Gundermann und Akelei,
Die Sternlein gehen still vorbei,
Arnika und Raute,
Zum leisen Klang der Laute.

Raimund Berger

Schwaz, die Knappenstadt

Es ist Abend. Die Umrisse der Berge, Wälder und Siedlungen beginnen leise zu verdämmern, und aus dem Innern der Behausungen leuchtet da und dort ein kleines Licht auf. Stadt, Wald und Berge heben sich mächtiger empor von dem rauschenden Fluß bis hinauf in den silbrigen Saum des Himmels.

Es ist eine merkwürdige Geometrie, die hier eine Architektur von reizvollem Gleichmaß geschaffen hat: hoch oben die Gipfelpyramide des Kellerjochs mit ihren weitausholenden Dreieckseiten, darunter wieder ein Dreieck, aus einem spitzen, dunklen Waldkeil geformt, und dies alles scheint auf dem kraftvollen Kegel zu ruhen, den die Stadt von den Talniederungen bis an den klobigen Turm der alten Feste Fruntsberg gebaut hat. Trügerisches Bild einer schönen Landschaft! Denn oben ist das Ruhige, Bleibende, Festgefügte, und unten das ruhelos Wandelbare, aus den Trümmern der Eiszeit Gelagerte, aus dem Geröll des Flusses Geschwemmte und von den Fluten und Muren des Lahnbaches Überrollte, wenn in unheilvollen Gewittern der Berg die Menschen und das zerbrechliche Werk ihrer Hände verschüttete. Und unten ist das rastlose Leben, das in vielen Tausend Schicksalen aufgeblühte und wieder hingesunkene Werden und Vergehen, worin das allzu Vergängliche im Unendlichen beschlossen ist.

Kaum sind noch Spuren zu finden von den Wunden, die die Menschen tief in den Leib des Berges gegraben haben, seit der Sage nach im Jahre 1409 ein Stier mit seinen Hörnern den ersten Silberklumpen aus der Ackererde zutage förderte. Und von all dem silbernen Reichtum, von der Macht der Habsburger, der Fugger, Fieger und der andern Gewerken ist nichts mehr geblieben als eine stolze Erinnerung an die Zeit, da an die 20.000 Knappen mit den mühsam erschlossenen Stollen und Schächten den Berg wie einen Ameisenhaufen durchwühlten und in der Blütezeit jährlich 15.000 Kilogramm Silber und ein Vielfaches davon an Kupfer gewannen.

Reichtum und Not, soziale und religiöse Kämpfe, Wohlleben und Krankheit, auf der einen Seite der Prunk der Bürger und Gewerken, auf der andern das Elend der Krüppel und Bettler bilden ein dramatisch bewegtes Geschehen, in dem der silberne Glanz immer mehr von einem tragischen Verfall verdunkelt wurde. Der Erzreichtum fiel dem Raubbau zum Opfer, die Stollen verarmten und ersoffen, und die Menschen, oft von weither in Gewinnsucht und Abenteuerlust getrieben, suchten wieder anderswo das Glück, das in Verheißung begonnen, in Armut geendet hatte.

Das Schicksal aber ersparte den Zurückgebliebenen und den nachfolgenden Geschlechtern nichts an unsäglichem Leid, ließ ihnen keine Hoffnung auf ein sicheres und geruhsames Dasein und nahm ihnen schließlich alles, was in Entbehrungen geschaffen, in Hoffnung gehegt, aller Kümmernis zum Trotz gehalten, eine Heimat gewesen war.

Im Mai des unseligen Kriegsjahres 1809 zogen Napoleons Hilfstruppen raubend und brandschatzend den Inn aufwärts, und der noch immer ansehnliche Markt Schwaz bekam die ganze Wucht des Kriegsgeschehens zu spüren. Bis nach

München leuchtete der Feuerschein jener Nächte, die zerstörten, was der Fleiß in Jahrhunderten geschaffen.

Und dennoch steht der Wanderer, wenn er heimkehrt, heute vor dem Bild der neuen Stadt, vor der Macht des Willens gegen ein unbarmherziges Schicksal. Breit hingelagert schiebt sich die Stadt über den mächtigen Schuttkegel hin, über die Ufer des Flusses hinaus bis an den Fuß des Karwendelgebirges, dessen Gipfel wie die Zinnen der Gralsburg das Geheimnis einer ergründlichen Zukunft hüten.

Als Zeugen einer von Glaube und Hingabe erfüllten Vergangenheit aber ragen hoch über die Dächer der Stadt die Giebel und Türme der Gotteshäuser empor, die wie durch ein Wunder von dem großen Brande verschont geblieben sind. Ehrfurcht und Dankbarkeit, aber auch Stolz und Prunksucht der späten Gotik haben den mächtigen Bau der Liebfrauenkirche geschaffen, die mit ihren zwei Haupt- und zwei Nebenschiffen, mit ihrer großartigen Architektur die Bewunderung des Beschauers erweckt. Der schlichtere Bau der Kirche und des Klosters der Franziskanermönche besitzt aber dafür in seinem Kreuzgang einen umso köstlicheren Kunstschatz. In der Stille und Beschaulichkeit seiner Mönchszelle entwarf der Künstler in visionärer Schau und realistischer Phantastik die Bilder von der Leidensgeschichte des Herrn und stellte sie hinein in die kriegerische Zeit des ausgehenden Mittelalters mit ihren zinnengekrönten Burgen und Städten. Juden, Landsknechte und Türken haben sich hier zusammengefunden, um das Mysterium von Leid, Tod und Auferstehung wieder lebendig werden zu lassen. Die Zeitlosigkeit des Erlösungswerkes, das immerfort wirkt und einem gläubigen Gemüte gegenwärtig ist, findet hier ein ergreifendes Symbol. Denn die Zeit kennt keine Grenzen, Vergangenheit und Gegenwart fließen in eins zusammen. Das Schicksal erfüllt sich in jedem Menschenherzen. Das Erlebnis ist alles.

Josef Außerhofer

Im Zillertal

Weißes Sträßlein, grüner Bach,
steile Mähder, steiler Wald,
himmelhohe Berggestalt,
schimmernd blaues Gletscherdach.

Alte Höfe, glutgebräunt,
im Gebälk die Nelke flammt
feuerrot auf dunklem Samt;
Bauerngärtlein, phloxumzäunt.

Schindeldächer, sperbergrau,
spreiten sich im grünen Plan,
horsten steil den Berg hinan
kühn ins bodenlose Blau.

Spitzer Turm, von Schwalbenflug
hell umzuckt. Der Toten Gruft
ruhend in Holunderduft
wie in heißem Lebenstrug.

Träume reift der Purpurmohn,
Imme schwärmt in goldnem Braus,
Glockengruß talein, talaus,
lang' verhallt der traute Ton.

Dämmernd im Kapellenraum
Gottes Mutter mit dem Kind.
In den Lärchen spielt der Wind,
Brunnen redet aus dem Traum,

rinnt und redet wie die Zeit,
bis die Flut, im Trog gestillt,
das vergänglich schöne Bild
spiegelt wie von Ewigkeit.

Josef Leitgeb

Wanderung im Rofan

Von vielen Tälern durchschlungen, besteht der Rofan aus einem breiten Gestell von wohlgeschichtetem Dolomit, auf dem, wie die Zinnen einer Riesenburg, steile Kalkwände, unterbrochen von einzelnen grotesken Gipfeln, emporragen. Jenes Gestell gliedert sich selbst wieder in Terrassen, deren Flanken Wald bekleidet, während auf dem Rücken Almen liegen, von denen die untere als Nieder-, die obere als Hochleger dient. Denn die Hirten bleiben im Verlauf des Sommers nicht auf einem Platze; sobald das Gras unten abgeweidet ist und die Sonne heftiger brennt, folgen sie dem Frühling in das eigentliche Hochgebirge und weichen vor dem nahenden Herbst allmählich wieder in die Tiefe zurück. Über solche Terrassen stieg ich zur Kotalm auf. Der Steig dreht sich in steilem Zickzack neben einem Wasserfall zum ersten Absatz empor. Ich hielt mich hier sowie auf dem zweiten, wo sich bereits durch eine Bergspalte die Aussicht ins bayerische Flachland öffnet, eine Weile auf, um die zahlreichen Marmorblöcke, deren manche ganz von Muscheln und Korallen durchwachsen waren, zu beklopfen. Wären diese schönen roten, fleischfarbenen, gelben, grauen und weiß getupften Steinarten im Flachlande ausgebreitet, sie lieferten das Material zum Schmuck herrlicher Paläste und Kirchen; hier rastet nur der genügsame Hirte darauf und denkt vielleicht an sein Mädchen im hölzernen Hause drunten im Tal. Ober dem Hochleger erhebt sich ein Tälchen, rechts von fast senkrechten Felsenwänden, links von steilen Lehnen, hinten von einer mit Rasen bewachsenen Kehle eingerahmt.

Die Wand, an deren Rand ich saß, war wie aus Ziegeln, von den dünnen Schichtenplatten eines rotgrauen Kalkes aufgebaut; umso frischer glänzte das Grün, das sich blumendurchwebt aus jeder Spalte drängte. Die Grundlage der Wand bildete eine kleine Ebene aus lichtgrauem, massivem Kalkstein, in dessen Oberfläche das Regenwasser tiefe Furchen gegraben hatte, die durch schmale, scharfkantige Leisten getrennt waren. Außer einigen Rispen von Riedgras sah man hier kein Pflänzchen, selbst die Ziegen meiden diese von der Sonne ausgedörrte Fläche, die jeden Schritt mit gefährlichen Fußangeln bedroht, und auch ich fühlte keine Neugierde, diese Schratten näher zu erforschen, und kletterte daher schräg am Felsen hinab, sie zu umgehen. Das Gebirge gleicht hier einem Labyrinth; überall einsame Schrofen mit grünen Flächen dazwischen; geht man auf diesen wohlgemut vorwärts, so steht man plötzlich an einem Absturz und muß umkehren. Übrigens irrt der Naturforscher hier gerne herum und wünscht sich zehn Hände, um die entdeckte Beute einzuheimsen. In einer Furche des roten Marmors lugen schnirkelförmig gewundene Ammonshörner aus dem Gestein, auf dem Rasen prangen Enziane und fast zwischen den Halmen des Grases versteckt die seltene Saussurea, mancher bodenständigen Distel nicht unähnlich. Ich wand mich ohne Aufenthalt durch, bis ich auf dem Grate stand, den rechts das Sonnwendjoch, links die Rofanspitze krönt. Unter diesem liegen wild durcheinander geworfen die Trümmer eines Bergsturzes, sein Name Rovan = Rovina ist davon abgeleitet und erinnert nebst manchem andern Beweise an die Zeit, wo hier die romanische Zunge klang. — Auf den Matten vor mir tummelten sich Pferde in urwüchsiger Wildheit, bald wiehernd, bald sich überwälzend oder im Laufe hinfliegend, eine Herde Rinder schaute ernsthaft zu, etwa wie ehrsame Philister der Ausgelassenheit mutwilliger Studenten, indes die Schafe gleichgültig gegen alles mit der Nase auf dem Boden nach wohlriechendem Jochquendel schnobberten.

Ich wollte nicht länger Zeit verlieren und ging über den steilen Grat zum Rofanjoch. Nun bog ich rechts ein, in der schmalen Vertiefung hatte man weder über das Land noch den Himmel einen Überblick, ich bemerkte nur, daß einzelne Wolkenzacken über den Kamm des Berges flatterten. Hinter einem Steinblock hervortretend, überraschte mich der Zireiner See, dunkel, unbewegt und düster lag er da, daß meine Seele plötzliches Grauen erfüllte. Der majestätische Charakter des Hochgebirges war hier gänzlich verschwunden, über die niederen, unfruchtbaren Höhen, wo nur einzelne magere Sträucher von Alpenrosen und Heidekraut ein kümmerliches Dasein fristete, lugte nirgends eine ferne Bergspitze, nur das Gefühl überwältigender Einsamkeit wehte mir entgegen, so daß ich mich nicht wunderte, wenn unsere Vorfahren unter ähnlichen Eindrücken hier von der Überwelt ergriffen wurden. — Zwei Senner suchten einst im Gestade ein verlorenes Rind, plötzlich hörten sie ein Geräusch im Wasser, sie schauten hin und erblickten in der Tiefe einen goldenen Wagen an einer langen Kette, erst von Gold, dann Silber, zuletzt Eisen, das Ende lag vor ihren Füßen. Sie begannen den Wagen herauszuziehen, und schon berührte er den Spiegel des Wassers, da fingen sie zu zanken an, wem er gehören solle, und er versank plötzlich unter lautem Krachen. Die Fische des Sees haben Goldsand im Magen; ein Fischer baute sich einen Kahn und angelte nach ihnen. Da tauchte eine ungeheure Schlange auf und drohte, ihn zu verschlingen; er warf ihr den Brotlaib, den er bei sich hatte, in den Rachen und erreichte, während sie diesen verschluckte, glücklich das Ufer. Einst wird der See ausbrechen und alles verwüsten; um es zu hindern, wurden im Kloster zu Mariatal Messen gestiftet. Er bleibt nun zwar in seinen Ufern, brüllt jedoch in der Johannisnacht so fürchterlich, daß man ihn weithin im Zillertal und Brandenberg hört. — An den Rumpf einer niedergestreckten Tanne gelehnt, ließ ich diese Bilder der dunklen Vergangenheit an mir vorübergleiten, nicht beachtend, daß die Landschaft allmählich in trübes Grau sank. Ein lauter Donnerschlag und die Regentropfen, die mir der eben erwachende Sturm ins Gesicht schleuderte, ließen mich rasch auf jene Gedanken verzichten und instinktmäßig einen Unterschlupf suchen. Ich eilte über den knirschenden Kies am Gestade zu den Felsen hin. Als ich an eine Ecke gelangte, sah ich etwa zwanzig Schritte vor mir einen Vorsprung, der ein Dach bildete, das Schutz zu gewähren schien. Auf einem Steinblock saß ruhig ein Adler, er schaute mich mit seinen großen Augen unverwandt an und schwang sich dann mit schweren Flügelschlägen in die Luft, laut kreischend, daß ich ihn hier verdrängt. Das Gewitter tobte heftig, ging aber bald vorüber. Unterdes war die Sonne tief gegen Westen gesunken, die funkelnde Glorie des Abends verbreitete sich über die stille Landschaft und leuchtete aus tausend Tropfen wider, die Wolken zerflossen und schwammen in feurigen Purpurflocken über den See, aus dessen dunklem Spiegel sie widerschienen. Ich wartete, bis das letzte Rot verglommen war, und eilte dann über die schlüpfrigen Mähder bergab, bis ich einen Heustadl erreichte, wo ich für heute mein Nachtquartier aufschlug.

Adolf Pichler

Schloß Tratzberg, Turnier. An der Wende zur Neuzeit zählte das Turnierspiel am kaiserlichen Hof zu den begehrtesten Sportarten. Das lebendige Treiben am Hof hielt der schwäbische Maler Hans Schäuffelein in spontaner Schärfe fest.

A tournament at Tratzberg Castle. Tournaments were a favorite sport toward the end of the Middle Ages. Hans Schaeuffelein, a Suebian painter, created this keenly observed picture of the lively scene in the castle's courtyard.

Château de Tratzberg, tournoi. C'est à Hans Schaeuffelein, un peintre de Souabe, que l'on doit cette scène d'une acuité spontanée représentant la vie à la Cour.

Castello Tratzberg, torneo. All'inizio dell'Evo Moderno i tornei alla corte imperiale erano uno degli sport prediletti. Il pittore svevo Hans Schaeuffelein ha colto con spontaneità e precisione la vivace animazione di corte.

Winter am Achensee. In festlichem Winterkleid präsentiert sich der Talkessel des Achensees und läßt die sonst karge Bergwelt als eine gigantische Bühnenkulisse erscheinen. Der größte See Nordtirols bietet genügend Möglichkeiten zur Ausübung der verschiedensten Eissportarten.

The Achensee in Winter. Clad in deep snow, the valley bottom of the Achensee heightens the effect of the surrounding barren mountain giants. This largest lake in North Tyrol offers splendid opportunities for all sorts of ice sports.

L'hiver à l'Achensee. La cuvette naturelle de l'Achensee se présente sous sa parure hivernale; les arides montagnes qui l'entourent ressemblent à de gigantesques coulisses. Le plus grand lac du Tyrol du Nord offre toutes les facilités pour les sports que l'on pratique sur la glace.

Inverno sull'Achensee. Il bacino dell'Achensee si presenta nel suo festoso abito invernale mentre la montagna, di per sè brulla, assume ora l'aspetto di un gigantesco fondale da palcoscenico. Il maggiore lago del Tirolo del Nord offre sufficienti possibilità di praticare i più diversi sport sul ghiaccio.

Am Achensee

Das Sonnwendjoch überschreitend oder den Unnutz, gelangt man zu jenem schönen Nordtor, durch welches die alte bayrische Straße über die Glashütte nach Tirol führt. Da liegt, ein Meerauge, von einer klaren Grüne, den Himmel widerglänzend: der Achensee.

Viele Sommer, manchen Herbst und einen totenstillen Winter habe ich an seinen Ufern erleben dürfen, und wüßte es nicht zu sagen, wann er mir am teuersten war. Bilder stehen vor dem Gemüt und lösen einander ab und sind beglückend und zum Danke auffordernd: Im Boot an goldenen Morgen über das stille Wasser rudern, die Ruder einziehen und sich von leiser Strömung treiben lassen, bis das Uferschilf sacht die Bordwand hinstreift; unter Segel mit dem Boarwind über das schwarzgewordene Wasser jagen, die weißen Kämme und das Dampfschiff stürmend hinter sich lassen; die Weihnachtsnacht im Mondschein erleben, wenn der See gleich violettem Samt im Kranze der weißen Gebirge ruht und die Berge schwärzeste Schatten darüber werfen, ein unbeschreibliches Funkeln vom Himmel zur Welt geht, daß nur die größten Sterne durch den Glanz dringen; im Januar über den gefrorenen See wandern und zuweilen erschrocken einhalten, wenn droben, beim Seehof etwa, ein Knall die nächtliche Stille zerreißt und mit dem Widerhall ein Krachen die lange Länge des Sees herankommt, das Splittern und Ächzen sich begibt, wie es einen zuweilen kilometerlangen Sprung im Eise begleitet. Dann wächst das Eis, und die drohenden dunkelgrauen Flecke sind noch wochenweit, denen man dann sorgfältig ausweicht, weil das Eis schon dünn wird. Dann naht eines Nachts der Föhn. Die Welt scheint ihre Schwere zu verlieren, unwirklich ist sie wie ein Bild ihrer selbst, die Ohren sausen, der Schlaf ist weit, die Stube enger als sonst, das uralte Getäfel kracht, die Glut im Ofen blakt, trotzdem die Luft von einer dichten Stille ist und gespenstisch vor den kleinen Fenstern zu stehen scheint. Drinnen im Tal donnert es plötzlich wie im hohen Sommer. Eine Grundlawine ist niedergegangen. Vom Lamsenkar oder vom Sonnjoch. Lange rollt es in den Lüften. Vor der Einbildungskraft steht die großartige, im Sommer herrlich überglänzte Landschaft in schwarzer Finsternis, umtost von wildesten Gewalten, gehüllt in stäubendes, erstickendes Gestöber. Die mitfühlenden Gedanken gehen zum Wilde, zu Gams und Hirsch, zu Reh und Hase. Das Herz preist jenen Abend auf dem Hochstand, da es an der Wildfütterung sich erfreuen durfte.

Josef Wenter

Alte Stadt Rattenberg

In der Altstadt Innsbrucks und in Hall nimmt der Eindruck, in einer gotischen Stadt zu weilen, noch mehr vielleicht gefangen als in Rattenberg, weil hier das Bäuerliche durchwaltet und mit ihm das immer Gegenwärtige. Andererseits versammelt die in sich geschlossene kleine Stadt tiefer in die Illusion vergangener Jahrhunderte.

Wenn ich den Bahndurchlaß durchschritten habe und am Beginn der Bienerstraße stehe und dann langsam hinabsteige gegen den Stadtplatz, vorbei am gemütlichen Ledererbräu, bei dem die Kastanien rot und weiß im schönen Wirtsgarten blühen, von welchem aus man die Gebirge hinab zum Wilden Kaiser schaut; wenn im sogenannten Malerwinkel die Vormittagssonne die schönen Türeinfassungen aus rotem Kramsacher Marmor, die zumeist aus dem 16. Jahrhundert stammen, die geschnitzten Balkone, altersschwarzen Fensterrahmen ins Licht hebt, dann wird mir der Schritt sehr langsam, die Zeit wird leicht und trägt sacht dahin, wie tiefes Wasser trägt.

Aus den Häusern, die Gestalt und Antlitz, kaum eines später als im 15. oder 16. Jahrhundert, empfangen und in großer Gelassenheit Geschlechter kommen und gehen, Zeiten aufblühen und hinwelken gesehen haben, schauert im Juni noch die Kälte des Winters. Dunkle Schächte, stehen die Eingänge offen; Stiegen, labyrinthisch einander überschneidend, Gänge hinter hölzernen Gittern, verborgene Türen, weißgekalkt oft, um nicht von der Mauer sich abzuheben, liegt solch vielfältiges Gebäu, graniten gequadert, unter einer Glashaube, die im Sommer den Himmelsglanz ein wenig einläßt, im Winter, von Schnee zugedeckt, Dunkel und Kälte lastender fühlen läßt. Der Winter vor allem scheint es zu sein, der einen Begriff vom härteren Leben der Menschen vergangener Jahrhunderte zu geben vermag. Der Sommer versammelt damals wie heut Sorgen und Gelächter unter die Himmelsglocke.

Der Brunnen am Stadtplatz, aus rotem Kramsacher Marmor im Vieleck errichtet, rauscht durch die Sommernächte, in denen der Heugeruch fein und kräftig über Stadt und Land geht. Es ist schön, auf den Stufen des Brunnens zu stehen und in die vier Richtungen zu schauen, durch welche das Leben der alten Stadt pulst. Die südwärtige bin ich herabgekommen und blicke nun durch das hohe gewölbte Stadttor ostwärts, wo Felder und Wiesen sich breiten. Dann gehen meine Augen gegen Norden, und über die Zinnen der Dächer hinweg grüße ich die Ränder der Rofangruppe, den wilden Sagzahn, das breit hingewölbte Sonnwendjoch. Wie ich mich abendwärts die Hauptstraße hin vom Brunnen entferne, höre ich das andere Rauschen. Der Inn zieht hinter den Häusern vorüber und brandet an die Pfeiler der großen Holzbrücke. Aber ich will mir seinen Anblick nicht gleich gönnen. Ich könnte an jenem uralten Hause, der ehemaligen herzoglich-bayrischen Stadtburg, dessen Fresken die Bildnisse bürgerlicher Geschlechter an der Hauptwand zeigen, vorübergehen, in wenigen Schritten an der Ufermauer stehen. Aber ich weiß einen besseren Platz, den geliebten heimatlichen Strom zu grüßen. In einer Art von glücklicher Spannung gehe ich langsam die Straße hinaus und betrachte die vielfältigen Gesichter der drei-, zuweilen vierstöckigen Häuser. Da ist das ehemalige fürstliche Stadthaus. Der Kurhut ziert das Wappen. Da ist der Gasthof „Zum Kanzler Biener". Schöne Erker zieren allenthalben. Ein seltsamer hölzerner Gang verbindet in Stockhöhe zwei Häuser. Wie ein Gewebe ist das Holz geschnitzt, das ihn umwandet. Ein Brunnen rauscht. Hinausblickend sehe ich's schimmern, höre ich's rauschen. Aber ich wende mich zu meinem Wege, betrachte immer aufs neue die Dachgiebel, bald gotisch gezinnt, dann in barockem Schwunge, in strenger Renaissance. Und da stehe ich nach einigen Minuten am letzten Haus der Stadt. Im spitzen Winkel verlaufend, nutzt es den schmalen Platz aus, der hier zwischen Inn und Straße ist. Denn die Stadt verläuft nicht in Auflösung. Strom und Fels verbieten es. Sie rücken so eng zusammen, daß nur die Straße und der dem Fels abgerungene Bahndamm Raum haben. Zwar gibt es, wenige Schritte weiter auf der gegenüberliegenden Seite, noch zwei uralte Häuser. Die aber sind, ähnlich wie der Bahndamm, dem Felsen abgetrotzt. Sie sind auf und in den lebendigen Fels gebaut und haben schon lang seine düstere Farbe angenommen. Geranien und Fuchsien schauen fremd aus den Fenstern, hinter denen Finsternis nistet. Der Winter muß in diesen Mauern ebenso grimmig sein wie den Menschen des 13. Jahrhunderts. Schön aber sind die Gärtchen, die hinter diesen Häusern terrassenförmig gegen den Schloßberg sich hinanbauen. Hier nun, wo die Stadt zu Ende geht, tut sich den glücklichen Augen eine Weide auf, daß sie ihrer nicht satt werden.

Der Inn, der nach der großen Schleife etwa einen Kilometer aufwärts sich zu entschieden geradem Lauf aufgemacht hat, wird durch den Felsriegel gehemmt und rafft verwirrt und erbost seine Wasser zu drohenden Strudeln, wirbelnden Wellen, deren Mitte eine tückische, bleigraue, stille See bildet, ehe er sich loslöst und gegen die Brücke zurauscht. Die Salzschiffe haben diese Wirbel gefürchtet. Manch eines ließen die Strudel nicht los, und der ergrimmte Strom zog es hinab. Heute noch umfahren die Paddler die Strudel vorsichtig, halten sich ans linke Ufer, wo das Gewässer stiller geht, trotzdem auch hier der unterströmige Zug zu den Wirbeln zieht. Zwei Kastanienbäume stehen hart am Strudel. Eine Bank ist zwischen ihnen in den Boden gerammt. Und hier ist es ein wundersames Ruhen und Schauen. Von den Stubaier Alpen, die hinter dem glitzernden Schimmer der Ferne die Schau begrenzen, wandern Augen und Herz die wohlbekannten schönen Grate des Karwendels herunter zum Sonnwendjoch. Dorf neben Dorf liegt auf der Terrasse, die der Inntalgletscher vor Jahrtausenden gebildet hat. Die grünen Auen der Innufer zeigen den Lauf des Stromes an, und die schwarzen Wälder der Uralpen steigen zu seinem rechten Ufer hernieder. Wenn ein Gewitter über das Karwendel herzieht, dunkelt der Inn schwarzgrün. Abendwärts, wo der Himmel hell ist, glänzt das Land in überirdischem Glanz. Ich habe einen doppelten Regenbogen sich über das weite Tal spannen sehen. Vom Inn hatte er sich aufgehoben und hatte über der Wildschönau sich erdwärts gesenkt. Der doppelte, höhere war beim Pendlingberg in Kufstein aufgestiegen und hatte sich über das Kaisergebirge geschwungen, war in schneeweißem Gewölk zergangen. Von der großen Brücke aus, die die Straße in das obstreiche Dorf Kramsach und weiter nach Brandenberg leitet, habe ich dieses doppeltgewölbte Wunder angeschaut, indes das abendliche Gejohle der wilden Mauersegler, die in Scharen unter der Brücke hinweg und über meinem Kopf wieder zurückstürmten in hundertmaliger

Wiederholung, sich dem Grollen des abziehenden Gewitters gesellte. Stundenlang bin ich auf der Brücke hin und wieder gegangen und habe im bewegten Gemüt mein Heimatland getragen, habe immer wieder in den Glanz des stolz herströmenden Flusses geschaut und in die schimmernden Fernen, aus der er kommt, und dahin er fließt.

Neben dem Tunnelschlund leitet ein schmaler Steig zur Schloßruine. Ein überwölbter, gemauerter Gang zeigt die Spuren ehemaliger Fallgatter. Dahinter tut sich eine kleine Wiese auf, die südwärts von lotrechtem Gefelse begrenzt ist. Nordwärts führt der Steig auf das Plateau, welches einst das Hochschloß trug, davon heute nur mehr der Bergfried steht. In das Gemäuer seiner Ostwand ist eine marmorne Tafel eingelassen, deren Inschrift berichtet, daß der tirolische Staatskanzler Wilhelm Biener am 17. Juli des Jahres 1651 an dieser Stelle enthauptet worden war, ein Opfer seiner aufrechten Gesinnung. Die Einbildungskraft führt zurück in jenes frühe Jahrhundert, läßt die Szene lebendig werden, da der Verurteilte nach monatelanger Haft in den strahlenden Julitag hinaustrat und seine abschiednehmenden Augen in die unsägliche Landschaft hin und hin sandte, um endlich den rotgewandeten Henker zu erblicken, der neben dem Schafott stand, die Hände über dem breiten Richtschwert gekreuzt. Wie damals stehen die Berge in klaren Linien, liegt das blinkende Band des Inns von West nach Ost gespannt, so weit das Auge geht. Der laue, leise Wind, der hier heroben stets geht, bringt das Rauschen herauf, Gelächter der Menschen, Kinderspiele, das Räderrollen eines Lastfuhrwerkes über die Brücke. Alles Erblickte aber und Erhorchte ist gleichsam unwirklich. Jene Tafel spannt drei Jahrhunderte über den Burgberg, davor und vor dem rohgemörtelten, bröckelnden Mauerwerk die Wichtigkeit von Zeiträumen fragwürdig wurde. Man erinnert sich, daß diese kleine Stadt, die geduckt am Schloßhügel liegt, schon im 13. Jahrhundert Stadtrecht besaß; daß einst der Bergbau den Wohlstand ihrer Bewohner begründet hatte, davon der Name Rattenberg — eine Verstümmelung des Wortes Radberg — sich herleitet, wie das Wappen bezeugt, das auf dem dreigebühelten Berg ein aufgestelltes Rad führt, um welches das Förderseil lief. Später war das weitläufige Schloß eine wichtige Talsperre. Mit dem Aufkommen des Schießpulvers verlor es seine Bedeutung und ward von den tirolischen Landesfürsten als Staatsgefängnis benutzt.

Wie ich auf das Gewirr der Dächer hinabblicke, deren Holzschindeln mit Querbäumen und Steinen beschwert sind, davor sich die Blendfassaden barocker Giebel hinstellen, die von Wohlstand und Ehrgeiz dieser altertümlichen Stadt beredtes Zeugnis ablegen, donnert aus dem Berg der Schnellzug. In der einbrechenden Dämmerung geistern die Blitze der elektrischen Zuglokomotive die Felswände hinan und über das Gewässer des Inns. Vor diesem ewigen Hintergrund erscheinen die Jahrhunderte gering und ihre Verwandlungen unwesentlich.

Josef Wenter

Finkenberg. Am Eingang des Tuxertales liegt Finkenberg mit dem roten, weithin leuchtenden Spitzhelmdach der Pfarrkirche, Ausgangspunkt für weite Wanderungen in das hinterste Zillertal.

Finkenberg. Situated at the mouth of the Tux Valley, Finkenberg is a starting point for many excursions. The pointed red roof of the church can be seen from afar.

Finkenberg. Ce pittoresque village se trouve à l'entrée de la vallée de Tux; le heaume pointu et rougeoyant de son église paroissiale est visible de fort loin. C'est une base de départ pour de longues randonnées au bout du Zillertal, la vallée de la Ziller.

Finkenberg. All'ingresso della Valle di Tux si trova Finkenberg con la sua chiesa parrocchiale dal tetto ad elmo aguzzo che rifulge rossastro in lontananza. E' punto di partenza per lunghe escursioni in fondo alla valle Zillertal.

Olperer, höchster Berg der Tuxer Alpen, 3480 m, der schon 1867 erstmals bestiegen wurde. Die Gletscherbrüche lassen den Berg zu einem eindrucksvollen Naturdenkmal werden.

Olperer, the highest peak in the Tux Alps, 10.450 ft, which was first climbed in 1867. The fantastic formations of the glaciers give the mountain its impressive character.

Olperer, la plus haute montagne des Alpes de Tux, 3480 m, dont la première escalade se fit en 1867. Les séracs en font un impressionnant monument naturel.

Olperer, il monte più alto delle Alpi di Tux, m 3480. Le fratture di ghiaccio trasformano la montagna in un impressionante monumento naturale.

Land um den Wilden Kaiser

Innabwärts nach Kufstein

Östlich von Rattenberg liegen Radfeld, das stattliche Dorf Kundl, das aufstrebende, zur Stadt erhobene Wörgl, wo sich alte und neue Bauformen mischen. Von beiden ersten führt eine Straße südwärts in die Wildschönau mit freundlichen Dörfern. Von Wörgl zweigt die Bahn nach Kitzbühel und Salzburg ab; ebenso die Bundesstraße 1 (die Wiener Bundesstraße). Zwischen Bahn und Straße leuchtet auf einem Waldrücken die restaurierte Burg Itter.

Im Inntal sieht man die rauchenden Schlote des Industrieortes Kirchbichl (im nahen bewaldeten Mittelgebirge das Bergwerksdorf Häring) und gelangt dann nach einer Wiesenfahrt und der Durchquerung eines kleinen Wäldchens fast unvermittelt an die Stadt Kufstein.

Kufstein, als Ort schon 710 erwähnt, erhielt 1393 das Stadtrecht. Ort und Burg gehörten dem Bischof von Regensburg, der sie 1213 Bayern zum Lehen gab. Mit der Eroberung durch Kaiser Maximilian im Jahre 1504 kam Kufstein zu Tirol. Infolge des großen Brandes hat sich vom ursprünglichen Ortsbild nur wenig erhalten; doch ist Kufstein eine freundliche, saubere Stadt mit guten Gasthöfen in prächtiger und abwechslungsreicher Umgebung. Links führt die Straße zur Burgruine und Wallfahrt Thierberg und weiter nach dem Passionsspieldorf Thiersee, nach Landl und von dort über die Grenze; rechts nach Ebbs, Niederndorf, Erl, Walchsee und Kössen. Der Inn wendet sich bei Kufstein scharf nach Norden, durchbricht das Kalkgebirge und fließt in die bayrische Ebene, während die Bergkette sich im Kaisergebirge und dann in den Loferer Steinbergen fortsetzt.

Die Festung — das Augenfälligste am Stadtbild von Kufstein — auf einem mächtigen Felsen, an dem der Inn vorbeirauscht, ehe er in mächtigem Bogen sich der bayrischen Ebene zuwendet, war 1205 im Besitz von Regensburg und Bayern, ein ursprünglich kleiner Bau, der sich auf den nördlichsten Teil des Burgfelsens beschränkte und aus einem einfachen Palas und dem südlich angebauten Bergfrit bestand. Den alten Palas haben wir in den unteren Stockwerken der sogenannten oberen Kaserne zu suchen, in dem späteren „Pflegerhaus", in dem sich das Fürstenzimmer und ein Saal befanden. 1415 verstärkte Herzog Ludwig der Gebartete die Befestigung. Wie man gewöhnlich annimmt, hatte er damals auch die Rondelle erbaut, die an der Nordseite der Burg den Aufgang von der Stadt decken. Kaiser Max hat sie jedenfalls bei der Belagerung Kufsteins im Jahre 1504 schon vorgefunden, denn auf Hans Purkmairs Belagerungsbild sind sie bereits wiedergegeben; urkundliche Nachrichten sprechen davon, daß die durch die Beschießung beschädigten Rondelle wieder ausgebessert wurden. Kaiser Maximilian erwarb von Bayern die Gerichte Kufstein, Kitzbühel und Rattenberg; da die Burg Kufstein auf diese Weise zur Grenzfestung gegen Bayern wurde, wandte ihr der Kaiser seine besondere Aufmerksamkeit zu. Er beschloß auch, durch seinen Baumeister Michael Zeller anstelle des nun unnützen alten Bergfrits einen gewaltigen runden Geschützturm zu errichten; dieser wurde erst nach seinem Tode 1519 bis 1522 vollendet und stellt mit seinem Umfang, den fünf bis sieben Meter dicken Mauern und den mächtigen

Schönachtal bei Gerlos. Nur im Sommer ist dieses Seitental des Gerlostales bewohnt. Hier kann man noch — vom Lärm und Verkehr verschont — die Ruhe und den Ausblick zur vergletscherten Wildgerlosspitze genießen.

Schönachtal near Gerlos. This small side valley is inhabited only in summer. Far from any traffic noises one enjoys here the view of the icecovered Wildgerlosspitze.

Schoenachtal près de Gerlos. Ce n'est qu'en été que cette vallée latérale de la vallée de Gerlos est habitée. Loin du bruit et de la circulation, on peut encore y jouir du calme et de la tranquillité des sites alpestres, et de la vue sur les sommets glaciaires de la Wildgerlosspitze.

Schoenachtal presso Gerlos. Questa valle laterale della Val Gerlos è abitata solamente in estate. Qui è ancora possibile — lontani dal rumore e dal traffico — godere la tranquillità e la vista della cima ghiacciata del Wildgerlos.

Schießscharten und Kanonenständen das gewaltigste Bollwerk dar, das auf tirolischem Boden bis dorthin errichtet worden war. Er erhielt schon von Anfang an den Namen „Kaiserturm".

Um die Mitte des 16. Jahrhunderts wurden am südlichen Burghügel zwei zwingerartige Vorwerke errichtet, der obere und der untere „Pfauenschwanz", 1556 bis 1562 verstärkte man die mittelalterliche Stadtbefestigung durch drei Bastionen, verbreiterte den Graben und verband die ganze Stadt mit der Festung.

Auf der Burg selber breiteten sich die vorgeschobenen Bastionen und Batterien mit Wällen und Toren immer mehr gegen Süden aus, ein langer unterirdischer Gang wurde durch den Felsen gehauen, der von der Gaudenzbatterie am Eingang bis zur sogenannten Josephsburg führt, die am tiefsten liegt und die auf einem Bilde von Kufstein vom Beginn des 18. Jahrhunderts noch fehlt. Sie wurde mit ihren Kasematten seit 1711 errichtet, war aber 1740 noch nicht ganz fertig.

Die unterirdischen Gänge spielen in der Phantasie des Volkes bei Burgen eine sehr große Rolle, sind aber in Wirklichkeit nur bei später angelegten Zwingern und Vorwerken nachzuweisen. Meist handelt es sich um kurze und einfache Anlagen, und ein so langer Gang, wie hier in Kufstein, ist in Tirol sonst nirgends vorhanden. Die Erzählungen von unterirdischen Gängen aber, die über das ganze Tal und sogar unter Flüssen durch zu benachbarten Burgen führen — auch in Kufstein erzählt man sich von einem Verbindungsgang nach der Burg Thierberg —, sind durchaus Phantasiegebilde. Aus sehr später Zeit stammt der schöne gedeckte Aufgang, der von der Stadt heraufführt und in das untere Rondell in den „Bürgerturm" mündet.

Josef Weingartner

Spiegelungen eines Sommers

Alpenrosen breiten Tau auf meine Füße,
Tau, der mich im Schatten kühlt;
und den Geruch der kargen Erde,
vom Grün der Gräser, Legföhren überströmt.
Ameisen queren den Weg,
Kalksteine sperren Schneewässer,
Almen hängen über.
In den Wäldern Spiegelungen eines Sommers,
der am Birkenteich, braune Blätter im Moorwasser,
erschrak.
Grate verlieren sich im heißen Schneewind,
gierig, schräg, Halden voller Felsen entlang;
und dann sammeln wir Blumen.
Die Kühle, vom Sattel herab, unser,
ihr nehmt sie auf.

Walter Kantner

Im Nordosten Tirols

Vom Grund des Kaisertales über Hinterbärenbad und den Stripsenpaß oder auch von Kössen aus gelangt man in die Nordostecke von Tirol, über Erpfendorf, Waidring zum Paß Strub; oder südwärts nach Kirchdorf und St. Johann in Tirol, einem großen, prächtigen Dorfe mit schöner Dekanalkirche und guten Wirtshäusern, sowie zum grünen Tal der Kitzbühler Ache und weiter nach Fieberbrunn und Hochfilzen an der Salzburger Grenze. Nach St. Johann kann man aber auch unmittelbar am Südfuße des Wilden Kaisers durch das Söll-Landl und über Scheffau, Ellmau und Going gelangen. In Going sitzt der unermüdliche Topograph des Unterlandes, Pfarrer Dr. Matthias Mayer. Diese ganze Gegend ist ein liebliches, wunderbar grünes Hügelland, aus dem der Rettenstein, die Hohe Salve (1829 m) und das Kitzbühler Horn (1998 m) emporragen.

So freundlich wie die Landschaft sind hier und schon weiter westwärts, von Rattenberg an, auch die Bauernhäuser, die im Gegensatz zum Oberinntal meist aus Holz erbaut sind und mit ihren Söllern, zierlich geschnitzten Dachstützen und Glockentürmchen am Giebel jeden Vorübergehenden freundlich anblicken. Auf Sauberkeit wird großes Gewicht gelegt, und es ist sehr bezeichnend, daß die Außenseiten der Häuser von Zeit zu Zeit mit Seife und Bürste abgewaschen werden. Die Tracht der Frauen ist zwar nicht so zierlich wie im Zillertal, aber die goldverzierten Hüte mit den schweren Quasten und die seidenen Bänder und Schürzen zeugen von Wohlhabenheit und gutem Geschmack.

Der Hauptort des ganzen Gebietes ist die Stadt Kitzbühel, die 1169 urkundlich zum erstenmal erwähnt wird und 1271 ihr Stadtrecht erhielt. Ihre Glanzzeit war das 16. Jahrhundert mit seinem reichen Bergsegen. Die Altstadt, die auf einem schmalen Hügelrücken liegt, hat mit ihren steingerahmten Portalen und weit vorspringenden Giebeln vom alten Charakter noch viel in die Gegenwart herübergerettet. In neuerer Zeit hat der Fremdenverkehr und ganz besonders der Wintersport eine wirtschaftliche Hochblüte mit sich gebracht. Von den einzelnen Bauten sticht der Pfleghof mit seinem wuchtigen Turm und dem anstoßenden Jochbergtor hervor. Im Weichbild der Stadt stehen zwei schloßartige Edelsitze, Kapsburg und Lebenberg. Nordwestlich, etwas außerhalb der Stadt, erheben sich auf einem ummauerten Hügel mit schönem Treppenaufgang die Pfarrkirche, die Ölbergkapelle sowie die kleine Frauenkirche mit dem Turm und mit Deckengemälden von S. B. Faistenberger.

Gegen Süden führt die Straße über Aurach und Jochberg zum Paß Thurn und nach Mittersill im Pinzgau, von wo man über den Felbertauern nach Osttirol weiterwandern kann.

Josef Weingartner

Gespenstervolk im Wilden Kaiser

Es sind geheimnisvolle Abende, die den Wilden Kaiser umdämmern. Seltsamen Stimmen muß man lauschen, Stimmen, die nicht aus dieser Welt tönen. Der Wilde Kaiser! In diesen drei Worten wohnt ein Märchen. Ein Märchen? Nein, Hunderte von Märchen, und allerhand Märchen. Märchen von dem Venedigermandl und der Goldtrupf, Märchen von schätzehütenden Zwergen, von den badenden Bären, allerhand trauliche Märchen, wie sie die Großmutter den hochaufhorchenden Kindern beim Kienfeuer erzählte. Aber es schlummern noch andere Märchen in diesen wilden Gründen. Nicht alle sind bergsonnenscheinig — viele sind wild und dunkel und blutig: Auf dem Totensessel sitzt das Gerippe eines Wilderers, der sich verstiegen und ohne Lossprechung in der Einöde gestorben war. Auf dem Totenkirchl liegt ein Riesenweib, ein Opfer der wilden Jagd des wolkenumflatterten Wodan, auf der Teufelskanzel predigte der Herr der Finsternis das Reich der irdischen Liebe, am Sonneck hat der Geizteufel seine schätzegefüllte Tragkraxe, die jetzt versteinert ist, stehengelassen, im Teufelswurzgarten dann hat der Arge einen Zauberanger mit allerlei Kräutern zum Schätzefinden, Gefrorenmachen, Krankmachen und Gesundmachen. Ein solches Würzlein verlangte einst ein Bursch für sein todkrankes Dirndl und versprach dem Bösen dafür seine Seele. Nun muß er im Garten Wache halten, bis wieder ein Bursch mit dem gleichen Wunsch kommt und ihn ablöst. Dort kann man auch den Teufel beschwören, schon mancher Wildschütz sah ihn dort als rotlodernde Feuersäule aus seinem Flammenreich emporsteigen. Bei der Jöchlkapelle sieht man eines verliebten Teufels Klauentritt — kurz, Tod und Teufel haben im Kaisergebirge große Gewalt. Aber nicht bloß sie, sondern auch ihre Bündner, die Hexen, die als schwarze Vögel die Schrofen umkreuzen. Gute Kapuziner haben aber auch böse Menschenbutze in diese Gewänder gebannt, damit sie nicht länger den Hausfrieden stören. Diese lassen nun ihre Bosheit an den Bergwanderern aus; solche sind der „reiche Schmuck" und die „Huberbäuerin", die beide ihres Geizes wegen büßen müssen. Frevelhafte Kegler, die mit Butterkugeln schoben, sind in die Erde versunken, in den Fleischbankwänden geistert ein Bauer, welcher den auf schmalen Felsbändern hinschreitenden Gemsen schlüpfrige, sandüberstreute Rinden gelegt hat, so daß sie rudelweise abstürzten. Aber der Unmensch sollte schon im Leben seine verdiente Strafe erhalten, denn seine eigene Schafherde ging denselben Weg und stürzte ab. Seitdem heißen die Wände Fleischbankwände. Im Kaiser oben ist aber auch eine weiße Rachegams, welche die allzu blutgierigen Wilderer in die Tiefe stößt. Auf der Goinger Halt laufen verfluchte, hochmütige Jungfrauen als Mäuslein herum.

Es gibt doch auch gute Geister im Kaiser, so den Alberer, welcher das Almvieh schützt, freundliche Zwerglein in der Geisterschmiedwand und Salige Fräulein, die auf Bauernhöfen in den Dienst treten. Ja, es wäre noch allerhand Wunderbares zu erzählen, vom Silberbründl, vom Geldloch, von dem verlorenen Kinde, alles Märchen der Vergangenheit.

Anton Renk

Kufstein. Hoch über dem Inn liegt die breitgelagerte Festung Kufstein mit dem 1519—1522 erbauten sogenannten Kaiserturm (Maximilians). In seiner Geschichte stets Bollwerk, beherbergt sie heute das Heimatmuseum.

Kufstein. The fortress of Kufstein rises high above the Inn. The so-called Emperor's Tower, named for Maximilian I, and built between 1519 and 1522, formed part of the fortification which today contains a museum of folk arts and crafts.

Kufstein. Du haut d'un piton rocheux se dresse l'imposante forteresse de Kufstein et sa tour de l'empereur (construite de 1519 à 1522 sous Maximilien). Au cours de son histoire, la forteresse fut toujours un bastion militaire, elle abrite actuellement un musée régional.

Kufstein. Alta sulle chiare acque dell'Inn si stende la ampia fortificazione di Kufstein con la cosiddetta torre dell'Imperatore (Massimiliano) costruita dal 1519 al 1522. Fu sempre usata come bastione ed ora ospita il museo della regione.

Bauernhof in Alpbach. Dieser prachtvolle Bauernhof ist seit 1676 in gleichem Familienbesitz (Erbhof) und vermittelt wie die international bekannten Alpbacher Truhen und Kästen gehütetes und gepflegtes volkskundliches Kulturgut.

A peasant house in Alpbach. Since 1676 this homestead has been in the family (in tail). Like the internationally renowned Alpbach chests and cupboards, it proves the high cultural standard and artistic taste of the local peasantry.

Ferme à Alpbach. Cette magnifique ferme appartient depuis 1676 à la même famille (ferme héréditaire). Comme les bahuts et les armoires d'Alpbach — de réputation internationale — elle donne une idée des sentiments esthétiques et culturels de la population rurale du Tyrol.

Fattoria ad Alpbach. Questa magnifica casa contadina è dal 1676 di proprietà della stessa famiglia (per eredità) e parla da sè della cura con cui si conserva un valore dell'arte popolare, come lo sono tra l'altro le preziose cassapanche e gli armadi di Alpbach conosciuti in tutto il mondo.

Herbst auf dem Lande

Feucht und farblos ist das traute Land
und der Ausblick durch den Rauch beschlossen,
Eberesche steht im Feld verdrossen,
ihre Früchte hat der Reif verbrannt,
suchend kommt ein Vogel angeschossen.

Schon verfärbt die Blätter mürbes Braun
und der Garten fällt in sich zusammen;
nah dem Beete, wo die Astern flammen,
hängt die Sonnenblume übern Zaun,
lautlos sackt die Sommerwelt zusammen.

Abends hüpft der Rabe übers Feld,
wenn die frühe Dämmerung gekommen,
wenn der Mensch schwermütig und beklommen
durch ein blasses Fenster Ausschau hält
und im Dorf die Lichter angeglommen.

Fährt kein Fuhrwerk mehr den Weg entlang,
Regenwasser gurgelt in den Gräben,
dunkle Lüfte, schwarze Nächte weben,
langsam steigt der Tod herab den Hang,
sehr gelassen, sein ist alles Leben.

Ich und meine Liebe liegen wach,
spüren tröstlich unsre warmen Glieder,
vor dem schwarzen Fenster immer wieder
schreien Winde jämmerlich und — ach,
flackernd brennt am Tisch die Kerze nieder.

Friedrich Punt

Stripsenjoch mit Totenkirchl. Von der Schutzhütte auf dem Stripsenjoch im Wilden Kaiser führen auch von erfahrenen Bergsteigern gefürchtete Klettertouren zum Totenkirchl, das schon zahlreiche Bergtote gefordert hatte.

Stripsenjoch and the Chapel of the Dead. Even experienced mountaineers dread the climb form the Stripsenjoch refuge in the Wilde Kaiser to this small chapel; it has claimed many a life.

Stripsenjoch et Totenkirchl. Au départ du chalet-refuge du Stripsenjoch, dans le Wilden Kaiser, des routes d'escalade redoutées par les bons alpinistes ménent sur le Totenkirchl, un piton qui fit déjà de nombreuses victimes d'accidents de montagne.

Stripsenjoch con Totenkirchl. Dal rifugio dello Stripsenjoch nel gruppo del Wilder Kaiser partono degli itinerari su roccia verso il Totenkirchl temuti anche dai più esperti scalatori, che hanno causato già numerose vittime.

Von Hochfilzen westwärts

Hochfilzen heißen die Möser auf dem Sattel, den die Bahn in beträchtlicher Steigung vom Salzburgischen herauf überwindet. Wie Meeresboden gewellt, breitet der Filz sich hin, schwarzgrün und feucht, gegen den Fuß des Kalkgebirges und südlich bis zum Waldsaum der Uralpen. Als ob der eiszeitliche Gletscher erst hinweggeschmolzen wäre und kargem, saurem Gras zu wachsen erlaubte. Im hohen Sommer selbst, wenn Rösser und Schafe hier weiden, wurde ich des Eindrucks nicht los, daß es eben ausapere.

Ich lehne am offenen Fenster. Es ist herbstlich kalt und der Himmel voll Sterne. Noch liegt kein Schnee. Die Möser breiten sich schwarz, und auf den blassen Steinbergen liegt ungewisses Licht von den Sternen. Dann taucht das Kitzbüheler Horn aus dem schwarzblauen Himmel, und wie ich ans andere Fenster gehe, gewahre ich die herrliche Feste unter dem hohen Gewölbe der Nacht: den Wilden Kaiser. Tief atme ich die Luft des Heimatlandes, schaue die Ränder der Berge hin und horche auf das Rauschen der Ache. Über den östlichen Gebirgen beginnt das Firmament sacht zu ergrünen, die Grate werden scharf. Stern um Stern erlischt. Noch funkelt der Sirius grün über dem Tal. Der hohe Bogen der Nacht verflacht. Hinter den östlichen Bergen liegen die Sonnenpfeile bereit, über die Grate zu fliegen. Da hält der Zug. Ich bin in Kitzbühel.

Gegen Nikolaus gibt es den ersten Schnee. Der ist noch ganz um seiner selbst willen da, denn er trägt noch keine Skifahrer. Aber er macht die schöne Stadt gar heimelig. Du kommst durch das feste Tor des Pfleghofs herein und schaust durch die sacht fallenden Flocken die Straßen hinunter, an deren Ende der weiße Lebenberg ansteigt. Die Giebel und Simse der barocken Häuser haben flaumweiße Polster. Da und dort gehen die Lichter auf hinter den Fenstern. Die Schulbuben führen die erste Schneeballschlacht auf. Du sitzt am Fenster im Café Reisch, freust dich mit den andern über den Schnee, schaust in den feinen Tanz der Flocken und gewahrst, daß du immer noch ein Kind bist, das vor Freude nicht recht weiß, was tun. Dann kommt mit Schellenklingeln eine Holzfuhre über die steinerne Brücke herauf. Sie hat schon Kufen, keine Räder mehr. Ihr Schellenklingeln läutet den Winter ein. Viele Wochen wird es jetzt keine Räder mehr geben, außer den kettenbereiften der Autos. Gehst du dann nachts heim, etwa die alten Stufen hinab ins Gries, wo der flinke Bach nebenher zur Ache läuft, dann ist es überaus still in Kitzbühel. Es hat zu schneien aufgehört. Der Himmel ist klar und voll Sterne und spannt sich aus wie schwarzblauer Samt. So groß ist die Stille, daß man hört, wie der Hammer im Turm ausholt zum Schlag auf die Glocke.

Dann kommt nach Monaten lauter Winterfreuden die stille Zeit in Kitzbühel, wenn es zu apern anhebt, wenn der Frühling kommt mit den Staren und Schwalben, mit den bunten Wiesen, die nebeneinander weiß, gelb, violett, rosenrot sich breiten, und wenn die zerzausten Kirschbäume blühen. Über ihm ist ein hellblauer Himmel aufgetan, durch den sanfte weiße Wolken ziehen, übers Tal gegen das Horn, über das Horn weg ins Salzburgische hinüber. Wie weit ist die Welt!

Josef Wenter

Sonne über Kitzbühel

Geheimnisvoll locken die schillernden Grate. Man kann ihnen nicht widerstehen. Aus altem Silber ist der Zaun, der den Wald gegen die freien Wiesen begrenzt. Der Föhn wühlt sich ohne Bösartigkeit, heiter und unbekümmert, in die einzelstehenden Zirben, die auf den kecken Ansturm mit gelassener Würde antworten. Erst stöhnen sie, brummeln ein wenig über so freches Besitzergreifen, lassen sich aber dann stolze Gesänge entlocken.
Die Hänge blühen weiß. Hingeneigt über die Tiefen schlürft man den Zaubertrank, lauscht man dem stürmischen Rhythmus, der das Alte in Fluten begräbt und sich ins Herz drängt.
Auf den Pisten hüpfen blaue, rote, gelbe Flämmchen — zuweilen sehen sie aus wie Traubenbüschel, diese Menschen, die sich da abwärtsschwingen, der vorgeschriebenen Route folgend. Sie kennen sie nicht, die kleinen, in den Schnee geduckten Hütten mit den silberflammenden Dächern, die behaglich dasitzen wie dicke Katzen. Das verbrannte Holz hat an manchen Stellen Zitronenfarbe, glänzt blau und leuchtet zinnoberrot. Es tropft vom Dach, beruhigende Melodie, süßes, kindliches Geplauder. Im morschen, braunen Gras steht rahmweißer Krokus. Eine stille Prozession demütiger Beter. Auch die zartfransigen Soldanellen wagen sich schon hervor.
Nirgends schmeckt das Brot und der Käse so gut wie hier heroben. Dort, aufgereiht wie auf einer Schnur, zockeln sie hinab, die Skiläufer: manchmal reißt die Schnur, Perlen kollern durcheinander. Soll ich froh sein, daß ihr sie nicht kennt, die holde, die friedenbringende Stille? Oder tut ihr mir leid, daß ihr nicht wißt, wie die Skier singen durch den matten Firnschnee? Die kleinen Hütten spähen nach euch aus, die schweren Hüte tief in die Stirnen gezogen. Traubenblau verwehen die Gebirge in der Ferne.
Aber sie alle hasten abwärts, nur abwärts. Sie kennen die Melodie der Skier nicht, wenn die Hölzer durch den Firnschnee summen. Schneehühner mit korallenroten Füßchen trippeln durch das Weiß und erheben sich mit knarrendem Rufen. Eine Staublawine stürzt über lackschwarze Felsen. Weithin ist das Tosen des Gebirgsbaches zu hören.
Ja, die Skier ziehen eine glänzende Spur durch die Atlasstumpfheit des Schnees. Eine zage, sanfte Melodie ist zu hören, wenn sie dahinsausen über die welligen Hügel, voll Fröhlichkeit und Tatendrang. Auch die Piste bildet lustige, gleißende Schlingen, und sie scheint von einer wogenden Blumenflut bedeckt zu sein, der Wind fährt zischelnd in Anoraks und bunte Tücher.
Unten im Tal liegen zusammengedrängt die Häuser von Kitzbühel, die Kirchtürme weisen ins Blaue, die Autos funkeln und warten ungeduldig auf ihre Herren, Schnauze an Schnauze, blinkend und augenblicklich ungefährlich. Unten sammelt sich die Menschenflut, um wieder emporzuschweben in die Seligkeit der Höhen. Vielleicht, daß mancher diese Seligkeit spürt und sie aufnimmt in sein Herz? Und demjenigen dankt, der diese Wunder erschaffen hat? Der Bergbach tost durch die Schlucht, schaumblaue Berge steigen aus den finsteren Wäldern.

Die einsamen Almhütten sitzen in schweren Schattenlachen, ihre Hüte aus vielschichtigem Schnee haben jetzt rosa Töne. Nun ist es besser, in die Piste einzuschwenken, der Schnee wird morsch, und auf der Piste schwingt es sich ohne Anstrengung abwärts. Vor mir stürzt ein junges Mädchen, und ich höre den Skilehrer schreien: „Left hab i gsagt — da liegt sie, die Kuh — left hab i gsagt..."

„But the snow" —", jammert sie, und der im knallroten Pullover murmelt: „Beton wär härter, was hast im Tiefschnee verloren? Bleib auf der Piste — verflixtes Dirndl —"

Lichtgrüne Lärchen. Braune Wiesenflecke und das Getöse der ungestüm losfahrenden Autos. Wieder geht's zur Talstation, noch lockt sie nicht, die kleine Stadt mit ihren zartgelben, blauen und rosa Häusern, deren Hauptstraße nichts von ihrer jahrhundertealten Harmonie verloren hat. Es gibt behäbige Gasthöfe, Luxusrestaurants und Kaffeehäuser verbergen sich zuweilen in kleinen unscheinbaren Häusern. Manchmal sind die Inneneinrichtungen etwas verspielt und versnobt. Holzgeschnitzte Heiligenfiguren thronen in Hotelhallen goldgleißend — und es wundert sie nichts, aber schon gar nichts. Denn was hat sich schon geändert im Lauf der Jahrhunderte? Hautenge und flatternde Hosen, knabenkurzes Haar und babylonische Turmbauten — oder gibt es vielleicht weniger Muße und mehr Hast? Weniger Liebe und mehr Nüchternheit? Mancher der Heiligen lächelt, wie sanft ist dieses Lächeln!

Der Frühling kommt, das Gras ist goldfarben und borstig. Hoch oben liegt noch der Schnee, zerschlissener Brokat. Die feschen Skilehrer schleichen matt durch die Straßen. Ihre prachtvollen Anoraks, Janker und Pullover hängen im Kasten. Die Schuhe — kleine Gebirgsmassive — ruhen sich im Dunkel aus.

„Josl, warst du der Glückliche, der dös verflixte Dirndl aus Schweden g'führt hat?"

„Dös war i!"

Lang liegt dieses Jahr der Schnee in den Gruben und Runsen des Wilden Kaisers. Federleicht scheint das ganze Gebirge im zartblauen Himmel zu schweben. Der Schwarzsee ist wirklich rabenschwarz. Er wartet darauf, bis die ersten Sonnenhungrigen kommen, bis die alten rotbraunen Kröten ihre Jungen ausführen. Es dauert nicht lang, dann blähen sich die Röcke im Wind, wenn sich der Sessellift auf die Pichlalm in Bewegung setzt und man dahinfliegt über die Wiesen, über die winzigen Almhütten, deren Dächer hellblau glänzen.

Und, Wanderer, auch du wirst dich freuen: die roten Rehe springen ungeniert über die Wege, sie brauchen die Menschen nicht zu fürchten, denn in ihren jaulenden, blitzenden Ungeheuern jagen sie dort unten auf der Straße...

Alma Holgersen

Ellmau. Die Kirche von Ellmau vor dem Wilden Kaiser ist ein typisches Beispiel von dem festlich-volkstümlichen, dem heiteren Barock aufgeschlossenen Geist der Unterländer Kunsttätigkeit.

Ellmau. The church of Ellmau, seen against the Wilde Kaiser massif, is a typical example of the festive and gay popular Baroque that is to be found in the Lower Inn Valley.

Ellmau. L'église d'Ellmau, devant le Wilden Kaiser, est un caractéristique exemple du tempérament à la fois gai et solennel, ouvert au Baroque, des habitants de la vallée de l'Inn inférieur.

Ellmau. La chiesa di Ellmau davanti al Wilder Kaiser è un tipico esempio dello spirito festoso popolare tendente al barocco che è caratteristico dell'arte della valle inferiore dell'Inn.

Schwarzsee mit dem Wilden Kaiser. Idyllische Bademöglichkeiten bietet der Schwarzsee bei Kitzbühel mit seinem heilwirkenden, tiefschwarzen Moorwasser, in dem sich die zerklüftete Felskulisse des Wilden Kaisers spiegelt.

Schwarzsee and the Wilde Kaiser. The "Black Lake" near Kitzbühel in whose deep black, medicinal marshy waters the Wilde Kaiser is mirrored, offers ideal opportunities for swimming.

Schwarzsee et Wilden Kaiser. Ce lac idyllique, aux eaux noires dont les vertus curatives se prêtent à la fangothérapie, se trouve près de Kitzbühel et offre toutes les facilités pour la baignade. Les crêtes dentelées du Wilden Kaiser de reflètent dans les eaux du lac.

Schwarzsee col Wilder Kaiser. Lo Schwarzsee presso Kitzbühel offre idilliche condizioni per fare i bagni nelle sue salubri acque fangose di un nero profondo nelle quali si specchia lo sfondo roccioso frastagliato del Wilder Kaiser.

Zwischen Sillian und Lienz

Die nördliche Talseite des Pustertales steht mit ihren sanften Hängen, mit ihren sonnigen Dörfern und Einzelhöfen in charakteristischem Gegensatz zur strengeren und steileren Südseite, die von Sillian bis Lienz kaum besiedelt ist.

Sillian ist ein schmucker, stattlicher Markt, eine typische Straßensiedlung mit einer einzigen Hauptgasse, ober der die schöne barocke Kirche thront. Östlich davon mündet das Villgratental, das aus den ernsten und verhältnismäßig wenig begangenen Villgratner Bergen kommt; es birgt die beiden Dörfer Außer- und Innervillgraten mit viel echtem und unverdorbenem Volkstum. Die Burg Heimfels am Ausgang des Tales gehörte den Grafen von Görz, deren Herrschaftsgebiet bis in die Brunecker Gegend reichte, war ursprünglich ganz klein und wurde erst im 16. Jahrhundert mit Rondellen, Zwingern und einer geräumigen Vorburg erweitert und verstärkt. Darüber liegt das Dorf Tessenberg mit einer hübschen gotischen Kirche. Bei Abfaltersbach verengt sich das Tal, das an der Sohle nur noch in Strassen und Thal größere Siedlungen aufweist und erst vor Lienz sich wieder weitet. Bei Thal steht über einem steilen Rain die St.-Korbinians-Kirche, ein schöner, spätgotischer Bau, geweiht 1487, mit gotischen Flügelaltären, die vor etlichen Jahrzehnten gestohlen, aber in jüngster Zeit wieder an ihren alten Platz zurückkamen.

Sillian gegenüber, auf dem östlichen Mittelgebirge, liegt das Dörfchen Hollbruck, dessen 1684 erbaute Kirche durch ihre einheitliche Ausstattung in Nußholz mit Knorpelwerkverzierungen angenehm auffällt. Vom Sinterhof stammt die ziemlich verbreitete Sippe der Sint. Von einem Sinterbauern wird erzählt, daß er zum Viehmarkt nach Spittal ging und, von der nächtlichen Wanderung ermüdet, in Lienz bei der Predigt einschlief. Als der Prediger mit großem Pathos ausrief: „Sünder, wohin gehst du?" fuhr der brave Marktfahrer jäh aus seinem Schlaf auf und antwortete laut: „O lei auf Spittal, a Paar Ochslan kafen." Gleich nach Kartitsch, dessen Filialkirche St. Oswald in das Drautal hinunterschaut und von wo man durch das Winklertal zum prächtigen, hart an der italienischen Grenze gelegenen Obstanzer See emporsteigt, beginnt das Lesachtal mit dem fast ganz aus Holz gebauten Dorf Obertilliach; die von Franz de Paula Penz erbaute schöne Kirche wurde 1764 von Josef Anton Zoller ausgemalt.

Von Abfaltersbach erreicht man auf der Nordseite des Tales ein schönes Mittelgebirge, das sich bis in die Gegend von Lienz erstreckt und im Gegensatz zur wenig besiedelten düsteren Talsohle eine ganze Reihe von sonnigen Dörfern trägt. Das erste davon ist Asch, dessen freundliche Kirche wie die neue in Abfaltersbach der Osttiroler Maurermeister Thomas Mayr von Tristach erbaute. Sie wurde 1765 von Josef Anton Zoller ausgemalt. Den Grabstein an der Fassade ließ Florian Waldauf, der als abenteuernder Knabe vom väterlichen Hause davonlief und es zum Rat Kaiser Maximilians und zum Ritter brachte, für seinen mit ihm geadelten Vater setzen, einen Bauern, der im gegenüberliegenden Hause lebte. Das Dorf Anras, ehemaliges bischöfliches brixnerisches Pflegegericht, besitzt eine schöne von Franz de Paula Penz erbaute Kirche,

Bauernhof mit Wildem Kaiser. Die breit gelagerten Unterländer Bauernhäuser mit gemauertem Erd- und aus Holz gezimmertem Giebelgeschoß sind wie kleine Herrschaftssitze in den weiten, großflächigen Wiesen und Äckern eingebunden.

A homestead with view of the Wilde Kaiser. The broadly built, spacious peasant houses of the Lower Inn Valley, with their masonry groundfloors and timbered gables, reside like small manor houses amid their fields and pastures.

Ferme et Wilden Kaiser. Les larges fermes de l'Unterland tyrolien se distinguent par un rez-de-chaussée en maçonnerie et un étage en bois. Elles ressemblent à de petits domaines seigneuriaux implantés dans de vastes campagnes.

Fattoria con Wilder Kaiser. Le larghe e piatte case contadine della regione inferiore dell'Inn, con il pianterreno in muratura e il sottotetto in legno, sembrano piccole residenze padronali incastonate nei grandi prati e campi.

deren Deckenbilder das 1754 gemalte Erstlingswerk des berühmten Martin Knoller sind. Noch weit interessanter aber ist die leider unterteilte alte Pfarrkirche, die im 13. Jahrhundert erbaut wurde und das seltene System der Johanneskirche in Brixen wiederholt.

Von Anras führt ein schöner Steig nach St. Christina, dessen Kirche auf einem isoliert aufragenden bewaldeten Felsenhügel steht, und nach dem großen Dorfe Aßling. Auf der Höhe liegt das Bergdorf Bannberg. Im Tal führt die Straße nach Leisach, wo sich die Gegend zum Lienzer Becken weitet. Auf dem ganzen Weg hat man südlich die steilen, unbewohnten Lienzer Dolomiten vor sich, während umgekehrt, wie im Inntal, die im Quarzphyllit liegende nördliche Talflanke sanft abfällt, mit Wäldern und Wiesen bedeckt und mit Dörfern und Einzelhöfen besiedelt ist. Hier geht die Drautallinie durch, die durch das ganze Pustertal weiterführt. Vielfach reichen die wenig bewachsenen Felsen, an denen oft selbst der Wald nicht aufzukommen vermag, bis tief in die Sohle des Drautales. Aber gerade das macht die Berge bis ins Tal hinab unwirtlich und unbesiedelt; ihr fast gespenstig-unheimlicher Eindruck erklärt am besten den alten Namen „Die Unholden". An der ganzen Nordabdachung von Abfaltersbach bis hinab nach Kärnten gibt es nur einen einzigen Berg- und Einzelhof, der Kreuthof bei Lavant (1047 m), während an der Südseite im fruchtbaren Glimmerschiefer die Höfe bis 1400 und 1500 m emporsteigen.

Dafür entschädigt den Wanderer die prächtige Gestalt mancher Gipfel, vor allem der majestätische altarähnliche Spitzkofel, der sich fast von Grund auf 1500, fast 2000 m emporschwingt, so daß nach Klebelsberg der Blick von Lienz zum Spitzkofel ein Bild ist, das ins Album schönster Ostalpenlandschaften aufgenommen zu werden verdient. Auch der Blick von der Waldwiese „In Stein" hinauf zur jähen Laserzwand läßt an Großartigkeit nichts zu wünschen übrig, obwohl die Laserzwand selber von der Rückseite ein „Kuhberg" ist. Besonders schön ist das von vielen, nicht sehr hohen, aber charakteristischen Gipfeln eingeschlossene Kar, in dem der stimmungsvolle Laserzsee liegt. Desgleichen die Nordwand des „Hochstadel", die mit den stark vorgebauten untersten Plattenschüssen 1500 m mißt und damit die dritthöchste Wand der Ostalpen ist.

Am Fuße des Spitzkofels bilden die romantische Gallizenklamm und unter dem Rauchkofel der ehemals so stille Tristacher See Sehenswürdigkeiten. An der Talsohle selber liegen südseitig die Dörfer Leisach, Amlach und Tristach und etwas höher an der Berglehne der Wallfahrtsort Lavant mit seinen beiden Kirchen und der zwischen ihnen frei aufragenden Kreuzigungsgruppe, die auf jung und alt starken Eindruck macht. Ausgrabungen der jüngsten Zeit haben bei der Kirche die Reste einer ausgedehnten Fluchtburg und Grundmauern einer spätromanischen Bischofskirche freigelegt. Die Erinnerung an die einstige Bedeutung des Ortes blieb im Volk auch später lebendig, und man wird annehmen dürfen, daß die Leute eben deswegen gerade hieher wallfahrteten. Die natürliche Lage mit der tiefen Schlucht hinter den Kirchen und mit den bleichen Felswänden ober den dunklen Fichten hat Lavant von jeher ausgezeichnet.

Einen ausdrucksvollen Gegensatz zu den Gefilden der Laserzgruppe bildet die weite Ebene des von der Drau gebildeten Talbeckens. Einen besonders schönen Blick hat man von Iselsberg, wenn man auf den Rand der Senke herauskommt, den Talkessel und als Abschluß die Gruppe der Lienzer Dolomiten vor sich liegen sieht; wie umgekehrt vom Spitzkofel oder von der Laserzwand aus der Blick auf die sonnigen und reichbesiedelten Hänge der Nordseite, auf die Dörfer Oberlienz, Thurn, Grafendorf, Nußdorf und Dölsach, auf die dahinter aufragende Schobergruppe und die eisgepanzerten Hohen Tauern an Schönheit kaum zu überbieten ist.

An der Westflanke des Lienzer Bodens, an der die Deferegger Alpen auslaufen, erfreuen das Auge, zum Unterschied von den nackten Dolomitwänden, die dunklen Fichtenwälder und grünen Wiesen des Schloßberges. Am Kamm, dessen Ende Schönbichele heißt, steht die Hochsteinhütte, von der ein bequemer, aussichtsreicher Kammweg zum „Bösen Weibele" führt. Nach der Sage zogen Ochsen die Bahre eines besonders bösen Frauenzimmers, dem niemand eine Grabstätte gewähren wollte, bis hieher. Aber die Sage, ein beliebtes Motiv, das auch bei der hl. Notburga und bei anderen Heiligen wiederkehrt, ist für das „Böse Weibele" gar nicht so beschämend. Auch die Begräbnisstätte ist so übel nicht. Freundliche Mulden, weite Weideplätze und nach allen Seiten freie Sicht machen eine einsame Wanderung sehr vergnüglich.

Eindrucksvoller aber ist die Schleinitzspitze und das anschließende Zettersfeld, das Vorgebirge der Schobergruppe, die den Talkessel von Norden abschließt. Der weitgeschwungene Rücken des Zettersfeldes wie jenseits des Debanttales die Raineralm und weiter östlich der Ederplan sind guterhaltene Überreste der tertiären Hochflut, die das ganze Land bedeckte, ehe die heutigen Täler einge-schnitten wurden. Auf der Nordseite der Schleinitzspitze träumt hoch im Gebirge (2432 m) der tiefblaue Alkuser See. Im südlichen Bergwald steht auf einem schmalen Rücken das spätgotische St.-Helena-Kirchlein, das am Sockel des Presbyteriums das ausgemeißelte Wappen der Herren von Graben trägt und wohl von ihnen um 1500 erbaut oder vergrößert wurde. Das gleiche Wappen fand sich als Flurmarke hoch droben am Zettersfeld auf einem Stein, der in einer Steinkammer lag, heute aber verschwunden ist; ebenso beim sogenannten kleinen See hinter dem Tristacher See. Die Herren von Graben, Ministeriale der Grafen von Görz, besaßen um Lienz reichen Grundbesitz.

Neben dem St.-Helena-Kirchlein ist auf dem schmalen Hügelrücken noch Raum für einen grünen, mit einer weißen Mauer umfriedeten Vorplatz, auf dem eine hohe und jahrhundertealte Linde steht, die mit der Kirche zu einem reizvollen Bilde zusammenwächst. Auch der Blick von hier auf die von kleinen Wäldchen durchzogenen Felder des Oberlienzer Schuttkegels, auf die Stadt Lienz an seinem Rande, auf die weite Ebene und auf die Laserzgruppe gewährt einen ganz besonderen Reiz.

Die Dörfer am Nordrand des Lienzer Bodens zeichnen sich durch ihre sonnige Lage und ihren Obstreichtum aus. An den Häusern gedeihen sogar die Trauben. In Thurn kann man im Obstanger des Mußhauser Hofes die überwachsenen Grundmauern einer Burg sehen, die dem Burggrafen von Lienz gehörte. In Dölsach, das etwas höher am Hang liegt, genießt man vom Friedhof aus eine prächtige Aussicht auf den Lienzer Boden. In Stronach und Stribach, zwei Fraktionen der Pfarre Dölsach, sind die Maler Franz von Defregger (1835 bis 1921) und Albin Egger-Lienz (1868—1926) geboren, zwei Exponenten auf-einanderfolgender Epochen der Tiroler Malerei. Das schöne Bild der Heiligen Familie am linken Seitenaltar der Dölsacher Pfarrkirche legt vom Können Defreggers Zeugnis ab. Von Dölsach führt die alte Straße zum Iselsberg, der auf der neuen Straße von Lienz her noch wesentlich bequemer zu erreichen ist. Es ist die alte Mündung des Mölltales, das mit seinem unteren Teil erst später zusammenwuchs; als Sommerfrische sehr beliebt.

Die Stadt Lienz, der Hauptort des ganzen Gebietes, liegt in der Nordwestecke des Talbodens beim Zusammenfluß von Drau und Isel. Aguntum, die antike Vorläuferin, lag weiter östlich am Unterlauf des Debantbaches; die Ausgrabungen der letzten Jahrzehnte haben dort ein bedeutendes Stück der Stadtmauer, das zweitürmige Osttor, davor eine frühchristliche Begräbniskirche und Bauten südlich der Reichsstraße aufgedeckt. Das alte Agunt ist durch den Debantbach wiederholt übermurt und schon um 600 im Kampf der Baiern und Slawen zerstört worden. Auf die verschiedenen Hypothesen über seine frühmittelalterlichen Nachfolger möchte ich nicht eingehen; ich begnüge mich mit der Feststellung, daß 1204 in Patriasdorf die St.-Andreas-Kirche, die Stadtpfarrkirche von Lienz, geweiht wurde. Die heutige Stadt wurde aber nicht dort, sondern tiefer am Talboden, bei dem erwähnten Zusammenfluß, angelegt. Ihre Lage im Zwickel zwischen Drau und Isel wurde zweifellos von strategischen Erwägungen bestimmt; zu diesem natürlichen Schutz kam seit dem 13. Jahrhundert die damals angelegte und später noch weiter ausgebaute Stadtmauer, deren Überreste noch vorhanden sind. Mehrfache Brände haben von bedeutenderen Gebäuden wenig übriggelassen; nur die alte Gliederung in eine untere und obere Stadt, die sich um zwei Plätze (Unterer und Oberer Stadtplatz) gruppieren, ist bis heute geblieben; seit dem 19. Jahrhundert hat sich die Stadt nach allen Seiten sehr stark erweitert, aber außerhalb der ursprünglichen Ringmauer keine geschlossene Form mehr angenommen. Der älteste Teil, der Untere Stadtplatz, ist heute noch der schönste und eindrucksvollste Stadtteil, der allerdings seinen wichtigsten Bau, die mit zwei Zwiebeltürmen versehene Lieburg, Sitz der Bezirksbehörde, erst im 16. Jahrhundert erhalten hat. Besonders die völlig erneuerten zwei Großgasthöfe, Hotel Post und Hotel Traube, tragen zur Gesamtwirkung des Platzes wesentlich bei.

Von den Kirchen ist die restaurierte Franziskanerkirche mit schönen Fresken aus dem 15. Jahrhundert und die Stadtpfarrkirche zu erwähnen. Sie wurde nach dem Brande von 1444 gebaut und ist ein Hauptwerk der Pustertaler Bauhütte, dem abwechslungsreiche Raumbehandlung und stimmungsvolle Beleuchtungskontraste einen eigenartigen Reiz verleihen. Auffallend ist die basilikale Anlage des Langhauses mit den zwei niedrigen Seitenschiffen. Der Chor wurde nach dem Brand von 1738 barockisiert. Das spätgotische Kruzifix am rechten Seitenaltar, die prächtigen Grabsteine des 1500 gestorbenen Görzer Grafen und des Michael von Wolkenstein und seiner Gemahlin sowie die schöne Orgel mit den bemalten Flügeln sind aller Beachtung wert. Der von Arkaden umschlossene alte Friedhof, der nach der Anlage des neuen zunächst dem Verfall überlassen blieb, wurde dadurch gerettet, daß man ihn 1925 zu einem Kriegerdenkmal für den ganzen Bezirk Lienz bestimmte. In der Mitte der Arkaden wurde eine von Clemens Holzmeister entworfene Gedächtniskapelle errichtet, die von Albin Egger-Lienz mit monumentalen Fresken geschmückt wurde und nun dem Meister selber als Grabstätte dient.

Josef Weingartner

Felbertauernstraße. Die Felbertauernstraße mit dem über fünf Kilometer langen Tunnel ist — wie die Brenner-Autobahn — eine wichtige Nord-Süd-Verbindung und führt durch die gigantische Bergwelt der Venedigergruppe nach Osttirol.

Felbertauern Highway. With its three-mile tunnel, the Felbertauern Highway — like the Brenner Autobahn — constitutes an important connection between North and South. On its way to East Tyrol it skirts the gigantic mountains of the Venediger Group.

Route du Felbertauern. Comme l'autoroute du Brenner, la route du Felbertauern et son tunnel de plus de cinq kilomètres est une importante liaison Nord-Sud. Elle traverse le gigantesque site alpin du Venediger et aboutit au Tyrol de l'Est.

Strada dei Felbertauern. Questa strada dei Felbertauern con la sua galleria lunga oltre 5 km è — come l'autostrada del Brennero — un'importante arteria di comunicazione Nord-Sud che conduce al Tirolo Orientale attraverso i giganteschi monti del gruppo del Venediger.

Großvenediger. Das Schnee- und Eiswasser, das sich tief in den Felsen eingegraben hat, hat seinen Ursprung am höchsten Berg der Venedigergruppe, den schon 1828 der österreichische Erzherzog Johann, ein besonderer Freund und Verehrer der Alpinistik und der Bergwelt, zu besteigen versuchte.

Grossvenediger. The source of glacial waters which cut deep into the rock, is on the highest mountain in the Venediger Group. Archduke John, a great lover of mountains and ardent mountaineer, attempted to climb it as early as 1828.

Grossvenediger. Les eaux glaciaires creusent leur lit dans la roche et descendant de la plus haute montagne du massif du Venediger. En 1828, l'archiduc Jean d'Autriche, un grand ami de la montagne et de l'alpinisme, essaya d'en faire l'ascension.

Großvenediger. L'acqua ghiacciata che è penetrata profondamente nella roccia ha la sorgente nel monte più alto del gruppo Venediger che l'Arciduca austriaco Giovanni ha tentato di scalare già nel 1828. Egli aveva una passione particolare per l'alpinismo e per la montagna.

Großglockner bei Kals. Bei Kals war schon zu römischer Zeit einer der wichtigsten Übergänge über die Tauern in den heutigen salzburgischen Pinzgau. Im Vordergrund für Osttirol typische „Harpfen", welche der Landschaft ein besonderes Gepräge verleihen.

Grossglockner near Kals. Ever since Roman times an important road crossed the Alps near Kals, leading over the Tauern Range into what is today Salzburg's Pinzgau Valley. In the foreground some of the hay-lofts can be seen which are typical for this region.

Le Grossglockner près de Kals. Depuis l'époque romaine, une voie importante franchissait le col du Tauern et aboutissait dans le Pinzgau, Salzbourg. A l'avant-plan, les « harpes », servant de séchoir au foin et donnant aux sites du Tyrol de l'Est un cachet particulier.

Grossglockner presso Kals. Presso Kals c'era fin dai tempi dei romani uno dei passaggi più importanti sopra i Tauern nell'odierna Pinzgau salisburghese. In primo piano si vedono i cosiddetti « Harpfen » che danno al paesaggio un aspetto particolare.

Tauerntal. Vom Tauernbach entwässert, führt das Tal den Wanderer vorbei an den letzten Bauerngehöften des Tales, die sich in Hangmulden einschmiegen, vorbei an zahlreichen Seen zu den Eisregionen der Venedigergruppe.

Tauern Valley. Following the Tauern Stream upward, past the last valley farms huddled in the hollows of the mountain slopes, and skirting several lakes, the wanderer finally arrives at the eternal ice fields of the Venediger Group.

La vallée des Tauern. Cette vallée où coûle le torrent des Tauern passe à proximité des dernières fermes en haute montagne, blotties au creux d'un vallon, près de nombreux lacs alpestres, et aboutit sur les glaciers.

Valle dei Tauern. Questa valle, le cui acque si raccolgono nel torrente Tauern, conduce l'escursionista davanti alle ultime case contadine della vallata che si adagiano nella conca e davanti a numerosi laghi delle regioni ghiacciate del gruppo Venediger.

Osttiroler Bergerlebnis

In den letzten Jahren vor dem Kriege habe ich in meiner engeren Heimat, in der Gegend von Lienz und Windisch-Matrei, verschiedene Gipfel bestiegen, von denen mir die Aussicht ein ganz besonderes Vergnügen bereitete. Wenn das Alter naht, leuchtet die Jugend in zauberischem Glanze auf, und jeder Weg, den man in ihr gegangen, flüstert einem zärtliche Worte zu. So erging es mir jetzt auf jenen Osttiroler Bergen, die ich schon von Jugend her kannte. Ja, auf einer dieser Bergfahrten bin ich einmal vor jähem Glück förmlich erschrocken. Ich wollte von der Kerschbaumer Alm in die Laserz, und als ich zum Törl kam, stand plötzlich die westliche Kante der Laserzwand vor mir. Bei einigem guten Willen kann man sie mit einer schlanken, thronenden Figur vergleichen, mit einem memphitischen König etwa, der die hohe Krone von Oberägypten trägt. Das Merkwürdige an der Sache aber liegt darin, daß sie von der anderen Seite, von Dölsach her, genauso aussieht. Und als nun diese aus Fels gewachsene Märchenfigur so unerwartet vor mir aufragte, erwachte in meiner Seele auf einmal das wohlige Gruseln wieder, das ich als vier-, fünfjähriger Knabe jedesmal verspürte, wenn ich abends bei sinkender Dämmerung noch vor dem Vaterhause stand und auf die drohende Felsgestalt hinüberblickte. Als ich dann am nächsten Morgen auf der Laserzwand selber stand und den ganzen Lienzer Boden, gerade gegenüber meinem Heimatort, mit seinen sonnigen Hängen vor mir hatte und dahinter die Schobergruppe, der Glockner und der Venediger mächtig emporragten, kam mir die ungewöhnliche Schönheit dieses Erdstriches mehr als je zuvor zum Bewußtsein, und ich wurde auf meine Heimat ordentlich stolz. Und lebhafter denn je trat es mir vor die Seele, daß es ein Glück, ein unverdientes Geschenk ist, auf der Sonnseite geboren zu sein. Noch etwas fiel mir bei diesen heimatlichen Bergwanderungen auf. Wie auf allen Gebieten, so nimmt man als junger Mensch auch in der Landschaft nur die einzelnen Teile, nicht aber die großen Zusammenhänge, wahr. Nun aber konnte ich eine Überraschung nach der anderen erleben, indem sich dem betrachtenden Auge nun das Ganze der Landschaft im organischen Zusammenhang offenbarte. Die vielen Bergwanderungen haben auch mein altes, aber lange schlummerndes Interesse an der Botanik neu geweckt. Man kann zwar den Duft, die bunte Farbenpracht und den erstaunlichen Formenreichtum der Alpenblumen auch genießen, ohne ihre Namen zu kennen; aber mehr Freude macht es, wenn man die zarten Kinder der Höhensonne auch zu benennen weiß. Noch besser, wenn man auch über etwelche biologische Kenntnisse verfügt.

Das Interessanteste und Bedeutungsvollste sind aber, wie überall, so auch auf Bergtouren, doch die Menschen, mit denen man in Berührung kommt. Da wären vor allem die Führer zu nennen. Welch prächtigen Leuten, an Leib und Seele gleich gesund und gleich gerade gewachsen, kann man da begegnen! Und wie schön und beglückend ist das unbedingte Vertrauen, das uns die Umsicht und stete Hilfsbereitschaft dieser Gebirgssöhne abnötigt! Eigenart, Denk- und Ausdrucksweise der bodenständigen Bevölkerung leben in ihnen.

Josef Weingartner

Am Kalser Törl

Ein klarer Herbstmorgen. Vom zinnengekrönten Schloß Weißenstein wanderte ich quer durch den Wald, der nur zeitweilig einen Blick in den Talkessel freiließ, dem Bretterwandbachtal zu. Aus dem Talkessel drang Glockenläuten empor, drunten in Windisch-Matrei wurde Viehmarkt, der Ursulamarkt, abgehalten. Die Meise pfiff vom Ast einer leichtbefiederten rotgoldenen Lärche ein so frühlingsfrohes Lied, als ahnte sie nicht, daß sie auf einer heißauflohenden Todesfackel des Herbstes ihre sonnengläubige Weise erschallen lasse. Ein Eichhörnchen eilte von der Fichtenwurzel zum Wipfel, als müßte es die Kunde der erstarrenden Tiefe emportragen zu den wärmenden Sonnenstrahlen, die in den höchsten Zweigen gefangen sind. Die Berberitzensträucher standen in reichem, flammendem Korallenschmuck. Keine Kinderhand hatte die bitteren Beeren vom Strauche genommen — ungenützt gluteten sie dem Tod entgegen. Der Weg mündete ins Bretterwandbachtal. Die Bretterwand! Der Name ist für den Berg bezeichnend — wie glatte, sonnenergraute Bretter lehnen die vollständig vermorschten Felsen an der Bergflanke. Jederzeit können die unheimlichen Felsen schreckliches Leben erhalten. Dann werden es Totenbretter, dann fährt der Tod auf murenbrauner Scholle in das Tal, niederreißend, vernichtend, was sich ihm entgegenstellt.
Ich überschritt den Bretterwandbach, der, über starke Sperren stürzend, Wasserfälle bildet. Im Bachgerinne sah ich Gipssteine liegen (die Gipsmühle befindet sich bei der Bachkapelle), die von der unter dem Falkenstein sich durchziehenden und erst seit kurzem ausgenützten Gipsader herstammen.
Der Falkenstein! Der Falkenstein ist ein mächtiger, überhängender Felsen, hoch über der rechten Lehne des Bretterwandbaches. Von ihm weiß man sehr viel und nichts.
Dort oben soll einmal eine Burg, die Falkenburg, gestanden sein. Die einen erzählen von zwei Brüdern, von Brudermord und schrecklicher Sühne in den Bretterwänden; die andern wissen von zwei Schwestern, die auf dem Schlosse herrschten, zu berichten. Die eine der Burgfrauen war blind und wurde bei der Teilung der Schätze überlistet. Die unredliche Schloßherrin aber umzieht als klagende Frau heute noch den einsamen Felsen, da noch keiner sie erlöste. Manche Leute wollen wissen, daß dort seltsame Kugeln zu finden seien, die einem runden Bachstein gleichen. Wenn man sie aber zerschlägt, sieht man, daß sie im Innern glänzende Kristalle bergen, wie die Veilchen des Frühlings, so blau. Wieder andere wollen wissen, daß der Falkenstein ein „Bergfried"-Ort gewesen sei. Als solche werden noch genannt Kienburg, St. Nikolaus, Rabenstein und Weißenstein. Wenn Feindesgefahr drohte, wurden an diesen Punkten in viereckigen Ummauerungen in die Täler Signalfeuer gegeben. Die toten Helden des Iseltales, Anton Wallner und Johann Panzl, wüßten vielleicht solche lodernde Fanalgeschichten aus Anno Neun zu erzählen.
Nachdem der Bretterwandbach überschritten ist, zweigt man beim steil abstürzenden Gollererbach ab und kommt in einen dichten stücklen Wald, der lange gefangenhält. Ich schildere hier meinen Aufstieg, will ihn aber niemand empfeh-

len, denn das aussichtslose Gerade-Emporhasten auf schlechtem Steig ermüdet Geist und Körper. Das „Lichtegg" nennt man meinen Aufstieg; warum, ist mir unbekannt, denn dichte, stark mit grauem und schwarzem Baumbart behangene Fichten verschränken ihre Zweige und gewähren nur von Zeit zu Zeit einen Ausblick auf den kühngebauten felsigen Kendlkopf.

Eine grünübermooste Mühle schweigt im Wald — überhaupt unter diesen baumbärtigen Fichten starrt ein seltsames Märchenschweigen.

Die Lärchen streuen ihre goldenen Nadeln nieder. Hoch hinaus steigen die goldgefiederten Bäume, die in stattlicher Anzahl den Fichtenwald herbstlich durchleuchten. Die Matreier Gegend zeigt überhaupt sehr starken Lärchenwuchs; man kann an manchen Stellen wirklich sagen, die Berge brennen, so flackern wie Flammenzungen die herbstlichen Bäume empor. Weiter außen im Iseltal mischen die Buchen ihre dunklere Glut in den großen Herbstbrand. Doch die Buchen bleiben bei Huben zurück. Der charakteristische Höhenbaum, die Zirbel, fehlt hier aber gänzlich und auch Zundern konnte ich keine erblicken.

Endlich kommt die Region der Alpenrosen, und der Wald lichtet sich. Der unfreundliche Waldstein eint sich mit dem Reitweg, der, immer weitere Ausblicke gewährend, ziemlich eben bis zu einer Quelle führt. Hier machte ich die erste Rast. Unter mir lagen die letzten Wohnungen, die brunellenbraunen Bauernhäuser, die an den Berglehnen kleben. Neben den Häusern stehen die „Getreideharfen" — sie sind ihrer Last bereits ledig geworden. Der Blick ins Virgental, in die Tauerngründe öffnet sich. Prächtig glänzt hinter dem Hintereggkopf der silberweiße Knauf des Kristallkopfes ins Blau. Für diesen Berg hätte man wohl nicht leicht einen passenderen Namen finden können. Im Volk heißt er auch Ochsenbug, eine Bezeichnung, die, da die Form des Berges mit einem Ochsennacken keine Ähnlichkeit besitzt, ständig unverständlich bleibt.

So still ist's heroben. Als ich an der Quelle saß, fiel mir die Sage vom „guten Wort" ein:

> Es kam der Herbst — die Felsenastern fahlten
> und um die Berge zog der Nebelqualm,
> und unsichtbare Geisterhände malten
> die Hänge braun auf der Todhirtenalm.
> Vom Langes bis zum Herbste half er hüten,
> der tote Hirt, der einstens untreu war,
> die Senner kränzen alles Vieh mit Blüten,
> kein Stück verfiel, es war ein gutes Jahr.
> Von Hirtenhüten wehen Edelrauten,
> zur Abfahrt klingt der Herdenglocken Ton;
> der Geisterhirt, dem sie das Vieh vertrauten,
> er spricht kein Wort von Dankbarkeit und Lohn.
> Und als das Dorf ist in der Augen Nähe,
> still geht er fort. Und erst im Wald er klagt,
> wie viele Sommer er noch hüten gehe,
> bis ihm ein Hirte ein „Vergelt's Gott" sagt.

Jetzt ist es schon ein viel fröhlicheres Schreiten, da die Blicke sich weiten. Niedere, fast ganz entgoldete Lärchen steigen mit in die Höhe, Alpenrosen

kauern am Steig, verfahlter Heiderich hängt an den Rainen, an kahlen Zweig-
lein blauen erfrorene Moosbeeren.

Immer näher kam ich zum Kalsertor-Schutzhause, und nun stand ich am Grat.
Zwei gewaltige Blicke öffnen sich: der auf die Großglockner-Gruppe und der auf
die Venediger-Gruppe.

Erstere ist in unmittelbare Nähe gerückt und wuchtet deshalb gewaltiger auf
die von dem Tauernzauber durchschauerte Seele. Der Glockner erscheint wie
der höchste steingewordene Wille, der mit eisigem Trotz und dunkler Felsen-
starrheit sich einen Platz zu erkämpfen strebt in den reinen Höhen des überall
hinflutenden Lichts. Der Glockner ist die titanische Urgewalt, ist die tatgewor-
dene Empörung. Ganz anders drüben der Venediger. Er ist ein silberreiner
Unschuldsgedanke, der traumhaft still und milde die lichten Räume der glänzenden Ewigkeit vorschimmert. Zu ihm neigt sich friedlich der Himmel nieder
und überströmt die Firne mit all seinem Licht; vor dem trotzigen Glockner
flieht er zurück, und an des Berges dunklen Felsen stirbt seines Lichtes Kraft.

Das sind die beiden Bergkönige, und jeder ist umgeben von mächtigen Vasallen.
Gegen das Kalser Tal erblickt man (es werden nur die hervorragendsten Gipfel
erwähnt): die Glocknerwand, den Großglockner, das Böse Weib, den Ganot und
Glödes, die Kleine Schoberspitze, den Hochschober und die Rote Wand. Der
Rottenkogel schließt das Bild ab. Gegen das Tauerntal schlingt sich der Riesen-
kranz: Zuinig, Lasörling, Rötspitze, Malham, Kristallkopf, Großvenediger,
Kleinvenediger, Russing. Als Abschluß starrt das trostlose graue Gebälk der
Bretterwandspitze empor. Nicht unerwähnt darf der liebliche Blick nach Kals
bleiben.

Und doch, und doch! Ich hätte gerne einen Menschen gehabt, dem ich all die
Hochweltherrlichkeiten hätte zeigen können. So aber war ich allein in der
Höhe.

Ich pflückte Alpenrosen und steckte sie an meinen Hut — o ich weiß es wohl —
Alpenrosen zur Allerseelenzeit gebrochen, kann man zur heiligen Weihnachts-
zeit zum Blühen bringen. Dann, wenn meine Alpenrosen sich rötlich erschlossen
haben, will ich den Menschen, die ich lieb habe, die Licht und Leben kündenden
Blumen schenken.

Ich wanderte auf dem gewöhnlichen Weg talwärts, bald war ich wieder im
Hochwald, bald wieder bei den goldensten Lärchen — bald bei der Vituskapelle,
bald am Klaunzenbergkirchlein —, und dann kam ich wieder zu Menschen;
mir war, als müßten sie es mir ansehen, daß ich den ewigalten, ewigneuen
Glauben vom Berge niedertrug, den Glauben: Es gibt keinen Tod!   Anton Renk

Volkskunst vor dem Großvenediger

Wer unwissend und unvorbereitet das romantische Tal über Virgen, Obermauern, Welzelach, Bobojach, Prägraten und Hinterbichl durchwandert, wird von der wilden Schönheit dieser Landschaft seltsam ergriffen werden.

Hier hört die Welt auf, und ihr Hasten und Getriebe hat diesen Winkel seliger Ruhe noch nicht gefunden, möchte man meinen. Aber an schönen Tagen der zwei Hochsommermonate begegnen einem immer wieder schlanke, sonnengebräunte Pärchen in guter Bergdreß, junge Mädchen in zierlichen Dirndlkleidern zwängen sich etwas ängstlich an die Wegzäune, wenn das Prägrater Auto auf und nieder schwankend wie ein Kahn auf hoher See daherrumpelt. Die meisten altersgeschwärzten Holzhäuser haben ein Stockwerk aufgezimmert, neue, erweiterte Fensterstöcke und noch einen stattlichen Söller dazubekommen. Was man sich selber bislang vorenthalten, Licht, Luft und Sonne, vergönnt man umso lieber den Sommergästen.

So mancher Greis im Ausgedinge aber hält dawider:
„Ist nur zu wundern, daß wir hinter den kleinen Fenstern und in den dumperen Stuben und Kammern so alt geworden sein."

Wie eine kleine Feste steht die Prägrater Kirche auf hügeligem Gelände droben, von der hohen Friedhofmauer umgeben, und die Wasserabzugsluken, aus denen blühender Ginster wuchert, sehen verwitterten Schußscharten gleich. Verwegen starren die Felskolosse ins Tal, als ob sie jetzt und jetzt friedsame Gehöfte überfallen und unter sich begraben wollten. Die Sonne grellt über reifendes Korn und versengt den Mittagsrauch, der aus frisch gemauerten und altersschwachen Schornsteinen lustig aufsteigen möchte.

Auf dem Wegkreuz sitzt ein Bergfink und freut sich zwitschernd des herrlichen Sommertages.

Die schöne Dorfkirche ist erst 1906 restauriert worden, und der Maler Peßkoller aus dem Enneberger Tal hat es verstanden, ein verstaubtes, müdes Antlitz wieder aufzufrischen, ihm eine neue Jugend zu verleihen. Was sind doch diese vier Evangelistenbilder, die die Altarkuppel schmücken, für ein herzerfrischender Anblick. Diese Bauernpatriarchen müßte man doch kennen, doch schon irgendwo gesehen haben. Wie vertraut und so würdevoll im reichen Gefälte ihrer schleppenden Gewänder. Eine Prägraterin, die hereingekommen ist, lächelt ein wenig stolz über unsere Freude an den Bildern und beginnt zu erklären:

„Ja, ja, das ist soviel fein, daß unsere Kirchenheiligen alles einheimische Leut sein. Dort, der Evangelist Johannes, ist der Gasser Leo, vom alten Ritter von Wallhorn, dem Bildhauer, ein Geschwisterkind. Der Matthäus ist der alte Häusler. Wie er gestorben ist, war's seinen Kindern der liebste Trost, da hinaufzuschauen. ‚Schaut's, unser Vater, er lebt ja, er ist noch allweil unter uns! Über uns, hat dann das Jüngste gesagt, dasselb ist soviel ein Gescheites gewesen. Der Lukas ist der Stampfer Leo und der Markus der Grieser Christl."

Dann führt uns die gesprächige Frau durch das Kirchenschiff, es ist ein gutes Zuhören.

„Dort, der Florian, ist der Schmied Ander, heut ist sein Schüppel Kinder längst erwachsen. Der Sebastian ist der Islitzer Joachim, der ist im ersten Weltkrieg gefalln." Sie hält inne, wir schauen. Ein blonder Bauernsproß, aber sein Gesicht trägt den Adel der Schönheit, sein schwärmerischer Blick schweift in die Weite, in fernes, unbekanntes Land — er ist angekommen dort, wohl ihm. St. Florian hat ein dunkelbraunes, kantiges Antlitz, aber der graue Eisenhelm steht ihm gut. Eines Mannes Jugend ist in diesem Bild festgehalten, manchmal wird er wohl da hinaufgeträumt haben, und wissen wir, ob es Gott nicht auch für ein Gebet gewertet hat? Über dem Sängerchor ist das Bild der heiligen Cäcilia gemalt, flott und feierlich zugleich, ein herbes Gesicht, schmal, in seiner ersten Jugend, von blonden, fest geflochtenen Zöpfen umrahmt, ein echtes Prägrater Bauernkind.

„Das ist die Schmieder Cilli, vom Florian eine Schwester, sie ist damals nach Amerika ausgewandert. Mag ihr Name drüben über dem großen Wasser vielleicht schon vergessen sein, hier, in der Heimat, lebt sie fort." Ja, das glaub ich, liebe Frau, daß ihr stolz seid auf eure Kirche und so ganz daheim in ihrem Gemäuer. Dann stehen wir vor den herrlichen Schnitzwerken des berühmten Osttirolers Paterer. Er lebt und wirkt im engen Kreis seiner Heimat, ein Barockkünstler eigener, durchgeistigter Art. Trotz der Herbe des Leidens sind seine Heiligengestalten von beseelter Schönheit. Aber auch ein Gang durch den Freithof lohnt, wenn man mit verhaltenen Schritten die schmalen Gäßlein der alten, schmiedeeisernen Kreuze durchwandert, die sich zuweilen mit ihrem reichen, formschönen Geranke wie ein dunkler Spitzenschleier vom Hintergrund des blauen Sommerhimmels abheben. An der Friedhofmauer rechts vom Eingang ist das prachtvolle Grabmal im gebrannten Ton angebracht, das der Bildhauer Dorer seiner Familie gesetzt hat. Zu Füßen des glorreich Auferstandenen die modellierten Porträts seiner Vorfahren. Leider haben Frost und Wetterstürme dem Denkmal treuer Kindesliebe schon arg zugesetzt. Der damals noch junge Prägrater Künstler Josef Troyer schuf das erschütternde Schnitzwerk, das leidende Haupt Christi, die gebreiteten Hände mit den erstarrten Wundmalen, das ganze in die leuchtenden Farben des Himmels und der sonnenerfüllten Weite der Landschaft getaucht, wandelt das Leid in glorioses Überwundensein.

Den von harter Lebensnot bedrängten Bewohnern dieses weltfernen Tales ist das Schöne und Erhabene alles eher denn fremd. Die Prägrater Kunst steht noch immer in Blüte, ein Josef Gasser, Ritter von Wallhorn, braucht sich seiner zünftigen Nachfahren nicht zu schämen.

Immer wilder wird der Gebirgszug, wenn man das Dorf Prägraten verläßt und der Fraktion Hinterbichl zuwandert. Dort aber wird die Szenerie von traumhafter Romantik in eine heroische Landschaft verwandelt. Der beliebte Anstieg zum Großvenediger durch das kleine Iseltal, keinem Berggeher fremd, und ringsum die uralten, wettergrauen, gletschergekrönten Recken, der Lasörling, der Mullwitzkogl, die Schlüsselspitze, der Saukogl, die rote Säule, der Kreuzkogl, sie grüßen, locken und drohen zugleich. Beim Groder droben zeigt sich dem Berggeher zum erstenmal der Großvenediger, sein Kristallkrönlein taucht auf, dann die Hermelinschultern. Man verrastet und schaut beseeligt um sich. Beim Islitzer drunten am Bach beginnen sie den Kornschnitt. Hier oben ist der Roggen noch grün, in wieviel harten Wettern wird er noch herreifen müs-

Oberaßling. Mitten in den steil ansteigenden Wiesenhängen hoch über dem Pustertal liegt auf schmaler Terrasse das Gemeindezentrum Aßling, dessen Ortschaften mit dicht gedrängten Gehöften weit verstreut sind.

Oberassling. On a narrow terrace high above the Pustertal valley, surrounded by steeply sloping pastures, lies the nucleus of Assling, a widely scattered group of settlements and farms.

Oberassling. Le centre de la commune d'Assling se trouve sur une étroite terrasse dominant le Pustertal, au milieu de prés en forte pente; les hameaux aux fermes serrées les unes contre les autres sont éparpillés à flanc de montagne.

Oberassling. In alto, al di sopra della Val Pusteria, su una terrazza stretta in mezzo ai pendii ripidi dei prati, si trova il centro del Comune di Assling con gli abitati molto sparpagliati, formati da masi serrati gli uni contro gli altri.

sen. Die liebliche Feldkapelle der Groderischen steht im Halbschatten. Hier, in diesem Abendwinkel, beginnt die Nacht früher als drüben auf der Sonnseite. Drunten vor dem schmucken Berghotel der Wiener Sängerknaben steht das vollbesetzte Auto. Die Hupe mahnt ungeduldig die säumigen Nachzügler. Hinter uns droben in den Mähdern glungst eine Kuhschelle mit weichem Wohllaut, einen Steinwurf unter uns klirrt die Sichel ins Korn, und drüben vom Berghof her tönt heller, gleichmäßiger Dengelsang. Ein Füllen stampft wiehernd über den Wiesboden. So geigt die Welt Gottes ein Stück Leben herunter.

Fanny Wibmer-Pedit

Blick ins Virgental. Das freundliche Virgental ist reich an Kunst- und Kulturschätzen. In Welzelach wurde in prähistorischer Zeit Bergbau betrieben; in St. Nikolaus finden sich romanische Malereien; in Obermauern ist der vollständigste spätgotische Freskenzyklus des Landes erhalten.

View of the Virgental. The friendly Virgen Valley contains many treasures of cultural and artistic interest. A mine existed in Welzelach in prehistoric times; Romanesque paintings are to be found in St. Nicholas; Obermauern has the most completely preserved cycle of late-Gothic frescoes of the entire country.

Vue du Virgental. Il s'agit ici d'une fort belle vallée alpestre riche en trésors d'art. Aux époques préhistoriques, des mines existaient à Welzelach; St. Nikolaus, possède de belles peintures romanes; Obermauern présente un cycle complet de fresques du Gothique flamboyant.

Vista del Virgental. La ridente valle Virgen è ricca di tesori artistici e culturali. Nel Welzelach c'erano anticamente delle miniere. A S. Nikolaus, si trovano pitture romane. A Obermauern si è conservata la serie più integra di affreschi in stile tardo gotico di tutta la regione.

Abschied von der Landschaft

Schon ist es Abend. Ach, wie bald verrauscht
das Berglicht sacht in Dämmerungen,
Akkorden gleich, die schon verklungen,
wenn noch die Seele ihrem Liede lauscht.

Ein Kreuz, ein Turm ragt in die Dunkelheit,
fremder und ausgesetzter als am Tage.
Aus braunen Hügeln steigt die stumme Klage
des Herbstes und der Einsamkeit.

Wie gut, jetzt heimzukehren, traut umhüllt
zu rasten lange in Erinnerungen,
die aus dem Buche goldner Wanderungen
im Herzen aufglühn Bild um Bild.

Hubert Mumelter

Quellennachweis

Anna Maria Achenrainer, Dorf im Gebirge (S. 46). Aus: „Die Windrose", Verlag Margarete Rohrer, Wien

Josef Außerhofer, Schwaz, die Knappenstadt (S. 83). Originalbeitrag

Gert Aychwalder, Fremma kemm (S. 80). Aus: „Ein Stübele voll Sonnenschein" von Friedrich Haider, Tyrolia-Verlag, Innsbruck

Raimund Berger, Das kleine Himmelreich (S. 81). Wort im Gebirge V

Gertrud Fussenegger, Lob einer Stadt (S. 75). Wort im Gebirge III

Hans Haid, Paurnhänte (S. 52). Aus: „Ein Stübele voll Sonnenschein" von Friedrich Haider, Tyrolia-Verlag, Innsbruck

Gottfried Hohenauer, Im Rotlechtal (S. 66). Originalbeitrag

Alma Holgersen, Spätherbst im Inntal (S. 30), Bergfrühling (S. 38), Lärchenwälder im Herbst (S. 46), Erlebnis der Berglandschaft (S. 54), Sonne über Kitzbühel (S. 97). Originalbeiträge

Max Kammerlander, Durchs Karwendel (S. 40). Originalbeitrag

Walter Kantner, Spiegelungen eines Sommers (S. 92). Wort im Gebirge 12

Auguste Lechner, An der Brennerstraße (S. 31), Stunde heimlichen Lebens (S. 34). Originalbeiträge

Josef Leitgeb, Farbiges Bergland (S. 8), Innsbruck (S. 21), Das Rauschen des Inn (S. 50), Über den Fern (S. 71). Aus: „Abschied und fernes Bild", Otto Müller-Verlag, Salzburg — Kindersommer in Pettneu (S. 56). Aus: „Das unversehrte Jahr", Otto Müller-Verlag, Salzburg — Im Zillertal (S. 84). Aus: „Sämtliche Gedichte", Otto Müller-Verlag, Salzburg

Hubert Mumelter, Skifahrt durch die Dämmerung (S. 22), Wintertag (S. 48), Abschied von der Landschaft (S. 109). Aus: „Gedichte", Verlag J. F. Amonn, Bozen

Joseph Georg Oberkofler, Heimat (S. 37). Aus: „Triumph der Heimat". Tyrolia-Verlag, Innsbruck — Der Tiroler Bauer (S. 60), Originalbeitrag

Adolf Pichler, Wanderung im Rofan (S. 85). Aus: „Tiroler Geschichten und Wanderungen", Reclam-Verlag, Leipzig

Friedrich Punt, Luimes (S. 32). Aus: „Luimes", Verlag der Wagner'schen Universitätsbuchhandlung, Innsbruck — Herbst auf dem Lande (S. 95). Wort im Gebirge 12

Anton Renk, Gespenstervolk im Wilden Kaiser (S. 94), Am Kalser Törl (S. 104). Aus: „Auf der Wanderung", Bergland-Verlag, Wien

Josef Ringler, Die Tiroler Tracht (S. 39). Aus: „Tiroler Trachten", Tyrolia-Verlag, Innsbruck

Georg Trakl, Verklärter Herbst (S. 53). Aus: „Dichtungen und Briefe", Otto Müller-Verlag, Salzburg

Josef Weingartner, Das Stadtbild von Innsbruck (S. 23), Der Stuibenfall (S. 47), Imst und seine Umgebung (S. 49), Stift Stams (S. 53), Das Stanzertal (S. 58), Das Außerfern (S. 63), Fernstein (S. 73), Innabwärts nach Kufstein (S. 91), Im Nordosten Tirols (S. 93), Zwischen Sillian und Lienz (S. 99). Originalbeiträge — Osttiroler Bergerlebnis (S. 103). Aus: „Unterwegs", Verlag Felizian Rauch, Innsbruck

Josef Wenter, Was sonst noch gut ist (S. 51), Im obersten Inntal (S. 55). Aus: „Im heiligen Land Tirol", Bergland-Verlag, Wien — Am Achensee (S. 87), Alte Stadt Rattenberg (S. 88), Von Hochfilzen westwärts (S. 96). Aus: „Das Land in den Bergen", Tyrolia-Verlag, Innsbruck

Fanny Wibmer-Pedit, Volkskunst vor dem Großvenediger (S. 107). Originalbeitrag